COLLECTION SÉRIE NOIRE
Créée par Marcel Duhamel

Parutions du mois

2640. L'IVRESSE DES DIEUX
(LAURENT MARTIN)

2641. KOUTY, MÉMOIRE DE SANG
(AÏDA MADY DIALLO)

2642. TAKFIR SENTINELLE
(LAKHDAR BELAÏD)

LAURENT MARTIN

L'ivresse des dieux

GALLIMARD

NOTE DE L'AUTEUR

Voilà deux mille cinq cents ans que les Grecs ont inventé la tragédie, la cité et l'enfer.

Deux mille cinq cents ans qu'on vit avec et que rien n'a vraiment changé.

Pour eux, pour nous, la tragédie est une lente cérémonie cathartique où le peuple vient se libérer, se purger de ses maux.

Elle oppose le HÉROS à la cité. Lentement on le voit sombrer, se noyer, maudit par les dieux.

La cité est représentée par le CHŒUR qui observe, s'oppose en silence. Parfois il chante, c'est le STASIMON. Souvent le CHORYPHÉE s'échappe du chœur. Il commente l'action et fait le lien entre tous les protagonistes.

Cérémonie, rite, culte, en l'honneur des dieux, de Dionysos en particuier, la tragédie raconte des événements marquants, les DIÉGÉSIS, ou bien les imite, les MIMÉSIS. Tout commence par l'arrivée du chœur, la PARODOS, tout s'achève par sa sortie silencieuse, l'EXODOS. Alors le héros demeure seul, et souvent s'en va rejoindre l'enfer.

Deux mille cinq cents ans qu'on vit avec et que rien n'a vraiment changé.

PARODOS

LE CHŒUR

Il se, d'un geste lent, relève. Le génitoire en débandade. Les mains tremblantes encore. Il contemple devant lui le corps sans vie. Comme une offense à ses yeux. Son souffle, celui d'un bœuf, commence à s'assagir. Il s'étonne. Ça va vite la mort. Comme une voix qui ordonne. Après on doute. On s'interroge. On déchante. La vie est une maladie honteuse. On l'attrape au hasard. Avec n'importe qui. On reste à ses côtés. On la transmet. On la soumet. Et un jour on en meurt. C'est ça ! La vie, on en meurt. Il le jure. Ils peuvent tous en crever de la vie. Lui, c'est différent. Il n'en est pas malade. Il le sait bien.

Il parle à voix haute. Il beugle plutôt. Contre lui, contre elle, contre la ville et le monde entier. Une réaction qu'il n'attendait pas. Il se reprend. Ses mots reviennent. Moins confus. Sa voix baisse. Il s'agite encore. Les bras surtout. Il crache. Il grogne. Il grigne. Un moment d'égarement. S'il est pris, il dira ça. Mais il ne sera pas pris. Car jamais il n'aura le pardon des hommes.

De grosses gouttes de sueur perlent sur son front, dégoulinent dans son cou, glacent son échine. Que faire ? Il s'essuie le sexe à l'aide d'un mouchoir en dentelle. Il fallait en passer par là ! Il ajuste son pantalon. Il est pris d'un dégoût de lui-même. Une idée de nausée l'occupe un instant. Des spasmes douloureux lui arrachent le bas-ventre. Un temps décomposé ! Puis il redevient maître de ses entrailles. À pas saccadés, il se met à tourner. En rond. Comme en cage. Jetant par moments des regards vides d'impression sur la gisante. Mais il ne faut plus y penser. Une mauvaise rencontre. Il la touche du regard. Il embrasse la mort avec simplicité.

Ses pensées partent en cavale jusqu'à lui donner une forte migraine. Tout devient obscur. Ne pas se tromper. Ne rien oublier. Il commence par effacer les empreintes qu'il a pu laisser. Où est-il déjà ? Il utilise un torchon récupéré dans la cuisine. Chez elle ? Il s'arrête. C'est bien ça ! Il n'est pas connu de la police. Une belle maison. On n'aura jamais son nom. Décorée avec soin. Le bar de nuit. Lequel ? La mémoire qui flanche. Il y avait du monde. Un brouillard sirupeux, fumeux. C'est sa faute. Il n'y va jamais. Il regarde. Personne ne pourra le reconnaître. Elle a bougé. Alors, pas d'ennui. Il la regarde encore. Il peut partir. Elle a les yeux grands ouverts. Elle lui jette à la gueule comme un sourire d'archange vengeur.

À nouveau son corps tremble. Ses gestes, un à un, se désordonnent. Il se met à chercher. N'importe quoi. Il attrape un balai. Il le brise en deux. Il ne prend que le manche. Il s'approche d'elle. Et, d'un geste sec, il la frappe. D'abord le corps. Puis le visage. Les coups pleuvent. De plus en plus vite. De plus en plus fort. Il ne faut plus qu'elle le regarde. Il frappe le crâne. Il défonce le nez. Du sang s'épand, se répand. La tête s'agite sous les coups. Elle semble encore vivante. Il frappe comme un automate. Sans fin.

Jusqu'à l'épuisement, l'abattement. Alors il s'arrête. Il pousse un long, long cri de fatigue, de colère. Il lâche son arme. Il n'y a plus rien à faire, à voir. Elle ne le regarde plus. Il recule. Les yeux levés au ciel. Il se cogne contre un meuble.

Il quitte tout ça. Il referme la porte en silence. Pour ne pas déranger. Quelle heure ? Deux heures trente. La sombre nuit.

Il s'éloigne. Il tourne à droite. Il doit rejoindre sa voiture. Il trébuche. Il vacille. Il ne tombe pas. Dans l'obscurité il a heurté quelque chose.

Une voix provenant du bitume et qui gueule.

— Ah ! Saloperie d'enfer !

Il regarde, la peur aux tripes, les bras navrés. Il a marché sur un type. Un clochard qui se tient là. Vautré sur le sol. De travers.

Il lance en tremblant.

— Pardon !

À nouveau la cloche qui gueule.

— C'est pas possible !

Il l'aperçoit le temps d'un rayon de lune. Un barbu en friche tenant contre lui un sac de toile crasseux.

Il répète en s'éloignant.

— Pardon ! Pardon !

LE CORYPHÉE

D'abord on voit la mort, cette raclure du futur. Une sale histoire qui commence par la fin. Par le grand saut. Par le néant. Par le retour à la poussière.

Ensuite ce sera un homme. Un homme livré en aveugle à la vie qu'il s'est construite. Balayé, secoué, malmené, il résiste, mais tout est sans doute joué d'avance. Un homme qui croit que les dieux ont soif du sang des victimes.

Alors on comprendra le monde, le monde tel qu'il est. Remugle infernal. Amalgame confus, confit, de vies tristes et mesquines.

Je mélange. Je mélange. Je mélange. La grande mixture primitive des passions.

Maintenant, il faut fouiller dans les poubelles de la vie. Quel putain de métier ! Et ces gens, ces peuples, qui se croisent sans cesse. Qui s'emmêlent sans se voir ! Ça ne va pas ! Suivez les instructions ! Les uns derrière les uns ! Les autres derrière les autres ! Dans l'ordre, sinon c'est le bordel.

LE HÉROS

Clac ! D'un revers ajusté, je massacre mon réveil. Rage ! Tempête ! Ce dernier a sonné au plus mauvais moment. Je tente en vain de rattraper mon rêve. Fulmination ! Désolation ! J'ouvre un œil. Je réfléchis un instant. Je me lève. Je hurle en silence. Contre rien. Contre tout. Contre cette société, cette crasse, qui me gave l'esprit. Je vais directement à la cuisine. Le chien Médor, d'un genre bâtard, se lance à ma poursuite, la queue en transe, la gueule béante. J'ouvre le frigo. J'attrape une bière. Je la bois d'un trait. Ma soif s'apaise. Mes petites convulsions du matin se calment. Je fais un câlin au chien Médor. Je lui donne à manger. Je cherche du café. Je suis certain d'en avoir aperçu quelque part. Mais où ? Mais quand ? Je fais le point. Je secoue mon crâne. Mes neurones se mettent en mouvement. J'observe. Je m'énerve. C'est autant la pagaille dans mon esprit que dans mon appartement.

Le chien Médor intervient.

— Ouaf !

Il a entendu un bruit suspect. Je ne réagis pas. J'arrange mes souvenirs. Une sorte de lumière se fait dans l'obscurité sourde de ma boite crânienne. Le café est fini d'hier. J'ai oublié d'en reprendre. Une gestion légère de mon quotidien.

Je m'insulte à voix haute.

— Max, t'es trop con !

Pour pallier cette déconvenue, je dérobe une seconde bière du frigo. J'en avale avidement le contenu. Je rote, rote sévèrement. Je traverse tout l'appartement pour prendre une douche. Elle est glaciale. Le chauffe-eau est en grève. Il est des jours où tout va mal.

LE CORYPHÉE

Que dire, sans être méchant, sur la vie de Max Ripolini ? Rien ! L'appartement qu'il occupe est spacieux. Trop spacieux même. Quatre grandes pièces. Le vide l'occupe en permanence. Max et le chien Médor ne font qu'y passer et dormir. Une acquisition d'avec son ex-femme, partie un soir de novembre après que Max fut revenu semi-comateux de l'arrivée du beaujolais nouveau. Max boit. Il s'assomme, s'abîme, se noie, tous les soirs, d'éthanol spiritueux. Un hommage éternel, perpétuel, à Dionysos. Par convention, il ne peut en être autrement. Pourtant, il y en avait de l'amour. Ils ont même envisagé d'avoir un enfant. Ça n'a pas pris. Finalement, ils se sont contentés du chien Médor. Et plus tard, ils ont divorcé. Jusque-là, c'est dans l'ordre des choses.

La douche s'achève. Frissons ! Je suis gelé. Je m'habille d'un vêtement froissé. Je passe une laisse au chien Médor. Je sors faire pisser l'animal. Le chien Médor connaît bien le parcours. Trois minutes sur le bitume afin de sentir les nouvelles odeurs, quatre minutes sur la pelouse pour chier, trente minutes au bistrot pour se reposer. Le chien Médor n'aime pas le bistrot. Du haut de ses pattes, il ne voit que des chaussures, des mégots, et qui puent. La fumée aussi le dérange. Mais il sait faire des efforts pour son bon maître. Il sait que je ne peux me passer de mon petit noir, de mon petit rhum, de la lecture du *Parisien*. J'avale. Je lis. J'écoute rarement la prose chargée de vin blanc des autres clients.

Nous retournons à l'appartement. Le chien Médor s'en va faire une petite sieste. Bien heureux. J'ai encore deux heures à perdre avant de prendre mon service. Sans but, je tourne sur moi-même, en méditant sur la vacuité de mon existence, en observant les murs décorés de néant criard, en écoutant le *Faust* de Gounod. La version capitolienne de Plasson.

J'ai langui triste et solitaire,
sans pouvoir briser le lien
qui m'attache encore à la terre !
Je ne vois rien ! Je ne sais rien !

J'aime la funeste destinée du *Doctor Faustus*, malade de vivre, malade de mourir. Je compatis lentement. Après la *Nuit de Walpurgis*, je coupe la musique. Je sors.

Je me rends à l'épicerie du coin. Un sérieux besoin de café, de bière, de boîtes de pâté pour chien.

— Bonjour, Chang !

Chang, c'est l'épicier.

— Bonjour, monsieur Ripolini !

Je n'ai jamais su si Chang était chinois, ou vietnamien, ou quelque chose d'autre. Il n'est pas bavard ce Chang. Il sourit, comme heureux de son sort. Il doit avoir entre cinquante et deux cents ans. Il porte en permanence de grosses lunettes qui lui dévorent le visage et une blouse bleue. Je l'ai toujours connu dans cette boutique. Un garage aménagé qui ne doit pas vraiment être conforme. Quelquefois il y a Liu, une parente, qui a l'air toujours triste. C'est plus cher qu'ailleurs mais bien plus exotique, avec tous ces canards laqués qui pendent grassement, ces sacs de riz rangés en piles compactes, ces caisses de produits d'importation. Pour l'hygiène, mieux vaut ne pas s'en inquiéter.

Je me sers. Je paie.

Chang, presque courbé, me salue.

— Au revoir, monsieur Ripolini !

Encore une louche de cette politesse orientale, à la limite de l'indigestion.

Je rentre.

LE CHŒUR

Il se lave, pour la troisième fois, les mains, les mains sales. Il se sent toujours aussi répugnant. Il se dégoûte. Toute la nuit, son corps s'est plaint, son corps s'est révolté. Mais il n'est pas parvenu à vomir, à se dégorger du mal qui l'habite. Il respire hâtivement. Han ! Han ! Il y a toujours cette odeur qui persiste. Indéfinissable, humide. Et cette icône gravée à l'acide, dans son œil. Les bras repliés, les jambes écartées, la tête, le corps de travers. Et ce visage qui observe, qui juge, qui condamne. Que faire pour oublier ? Le vide ?

Il ne résiste pas. Il sort. Une obsession funeste garnie d'images sombres, de mauvaises pensées. Il pousse un cri, petit cri. Il sait qu'il ne faut jamais y retourner. Pourtant il veut voir. Une force supérieure le guide, l'entraîne. Il prend sa voiture.

La ville est triste. Les rues sont désertes. Un regard, des regards, en passant. Des policiers entrent, sortent, de la maison. Ils l'ont vite découverte. Vite découverte. Il rentre chez lui. Ce soir, il y aura la messe. Pour se laver l'esprit. Pour se nettoyer l'âme. Mais rien pour les mains, les mains sales.

LE HÉROS

Je range. J'arrange. Sous les yeux incrédules du chien Médor qui vient de s'éveiller.

Il pouffe comme un idiot.

Je gronde d'une voix claire.

— Qu'est-ce que tu as ? Tu n'as peut-être pas remarqué que c'était le souk dans cet appart !

Le chien Médor ricane en son for intérieur, se rendort, dort.

Midi moins dix.

Nous sortons. La voiture nous attend. Une DS 21 injection. Bleu métal, intérieur cuir, millésimée 73. Le grand style néopompidolien. Elle affiche deux cent douze mille. Quelques pièces neuves. Sinon, elle est parfaite.

LE CORYPHÉE

Max Ripolini dort, mange, baise, travaille, et quelquefois rêve, à Marne-la-Vallée. Une cité nouvelle sans caractère, sans volonté, où retentit fortement l'ennui, le silence, de ses habitants.

Marne-la-Vallée ! Une sorte de ville à la campagne. Une merveille de béton, de fer, de verre, de terre, surgie ici, là, au gré d'une occupation douteuse des sols. La *planification* dans toute sa splendeur. Des *urbains urbanistes*, des *pensifs penseurs,* ont chié des bouses en ciment. Des mouches à merde sont venues s'en régaler : faux pavillons, vraies HLM, espaces vert-de-gris, maisons de l'inculture. Un grand nulle part rempli de vide et d'arbres rachitiques. Un espace abandonné, aride, stérile. Il y a vingt ans, Marne-la-Vallée c'était nouveau. Une sorte d'utopie. On a fait venir des architectes parisiens, plus ou moins célèbres, plus ou moins talentueux. Ils ont pondu deux-trois-quatre horreurs, pris quelques millions et sont retournés hanter les salons verbeux de la capitale. L'utopie en est morte.

Quand on y arrive, quand on s'y installe, c'est trop tard pour s'en rendre compte. Dommage ! Mais c'est pas grave car on ne profite jamais de ce néant. On travaille trop loin le jour, on ne sort plus la nuit. Avec tous ces jeunes qui mettent le feu aux poubelles, cassent les abribus, rackettent leurs voisins, sniffent de la colle, s'entre-tuent dans les parkings, et qui, souvent, truandent, trafiquent, trichent, traînent, tranchent, traquent, on a toujours un peu peur. Mais c'est à tort. Avec ses lampadaires cassés projetant des lumières blanchâtres, Marne-la-Vallée, c'est moins laid la nuit que le jour.

Max Ripolini, vite, très vite usé, par trente-six années d'existence pitoyable, fait le policier municipal à Marne-la-Vallée. Depuis sept ans. Il a débarqué d'une autre banlieue au moment de la création du service. On avait besoin d'agents expérimentés. Il avait déjà servi. Il est rapidement devenu l'adjoint du chef Joncart. Il a la responsabilité du poste l'après-midi.

Va donc arracher ton pain quotidien à cette putain de cité.

LE HÉROS

J'entre.

— Salut !

— Salut Ripo !

C'est Grégoire qui me répond. Grégoire est seul.

Je demande.

— Joncart n'est pas là ?

— Non, il est à la mairie. Il règle des problèmes de sécurité pour le carnaval.

— C'est vrai qu'il y a bientôt le carnaval municipal. On va pouvoir faire la fête !

Grégoire, l'œil sombre, tempête.

— On va surtout être réquisitionnés. J'en ai marre.

— T'as raison ! Et puis un carnaval au mois de juin, c'est pas normal !

Grégoire acquiesce de la tête.

Silence.

L'heure est creuse. L'équipe du matin est partie à la cantine. Celle du soir n'est pas encore arrivée. J'installe le chien Médor sur son coussin. Je prends place derrière le téléphone. Grégoire consulte l'horloge. J'attends.

LE CORYPHÉE

Policier municipal, ce n'est pas un mauvais boulot. Tu peux faire illusion auprès de la population grâce à ton bel uniforme bleu, bleu royal, sans avoir tous les problèmes du vrai flic. Tu regrettes pourtant que les petites frappes n'aient pas peur, que les bourgeois n'aient pas confiance, que les gosses rigolent quand ils te croisent dans les rues. La cruauté du monde.

La mairie, dans sa grande, grande bonté, a confié aux policiers municipaux de Marne-la-Vallée un petit local exigu en plein milieu d'une zone HLM, pouilleuse en apparence, mais vivable quand on veut vivre. Il y a juste de quoi mettre deux bureaux, trois armoires, des toilettes, un petit frigo pour les grosses chaleurs de l'été.

Max a connu pire, mais il ne sait plus où.

LE HÉROS

Le téléphone sonne.

Je réponds.

C'est une vieille folle. Madame Lipienski. Elle a vu un fantôme. Celui de son mari. Son mari est mort depuis quinze ans. C'est ce qu'il avait de mieux à faire.

Je raccroche. J'observe le chien Médor qui s'agite en dormant. Je me passe la main dans les cheveux, cheveux gras, pour chasser le mauvais esprit qui s'attaque à mon cerveau.

Je reprends mon attente.

Midi quarante-cinq sur l'horloge du poste. Georges, Willy, Marianne, toute l'équipe du matin, revient de la pause déjeuner.

Willy, un sourire ironique aux lèvres, réclame ma cotisation, cinquante francs, pour le café.

Je payerai plus tard. Pour sa peine, je l'envoie chez madame Lipienski. Avec Marianne.

Marianne se révolte.

— Eh ! Non ! Moi, j'ai rien fait. T'as pas le droit de m'envoyer voir cette folle.

Willy reprend.

— Elle a raison. On n'est pas là pour chasser les fantômes qui hantent les esprits dérangés des petits vieux.

— Toi, t'as rien compris à la politique. Madame Lipienski est un membre très influent du club du troisième âge. Imagine que monsieur le maire, ton employeur, apprenne qu'il doit calmer huit cents petites vieilles ivres de colère contre la police municipale, je ne donne pas cher de ta pauvre peau de Martiniquais.

Willy ne répond pas. Il attrape sa veste et sort en compagnie de Marianne. Grégoire abandonne le poste pour aller se restaurer dans l'unique bistrot du quartier. Le Cadran.

L'équipe du soir arrive en ordre dispersé. D'abord Antoine, puis Robert et enfin Serge qui vient accompagné d'une caisse de vin.

Il chante presque.

— Salut la compagnie ! Salut la compagnie ! Regardez ce que j'apporte. Du juliénas. Et du bon ! Cuvée 93.

Serge a juste le temps de planquer les bouteilles, le chef Joncart se pointe.

Il a sa tête des mauvais jours. Il souffle, se désole. Ses cheveux gris, grisâtres, sont en désordre.

Sans prévenir, il nous jette.

— C'est pas bon les gars. Je me suis fait mettre profond par le maire. Il a des échos. Il paraît qu'on ne patrouille pas assez, qu'on ne fait pas suffisamment de prévention, bref, qu'on branle que dalle.

Je rétorque.

— C'est parce qu'on n'est pas assez nombreux, qu'on a seulement deux voitures, que le poste n'est pas adapté à la situation !

— C'est exactement ce que je lui ai dit, mais il en a rien à foutre. Il veut une réorganisation du service, de nos missions. J'ai rien pu dire d'autre. Alors, on se prévoit une petite réunion pour demain quinze heures. Je vous demande de cogiter un peu sur le sujet, surtout toi, Ripolini.

— Oui, chef !

— Ne m'appelle pas comme ça !

— Oui, patron !

— Putain !

— C'est bon ! C'est bon ! Reste tranquille ! Tu vas nous faire un anévrisme. On commence maintenant. Serge, Antoine, vous partez tout de suite en patrouille. Mission prioritaire : passer devant les maisons des conseillers municipaux. Leurs voisins, en bons collabos, pourront faire des rapports favorables. À seize heures vous revenez et avec Robert on part faire des étapes devant les écoles du centre-ville. Pour montrer aux parents que les pédophiles sont sous haute surveillance. Exécution.

Cécilia. Elle crie.

— Espèce de con ! T'as rien d'autre à foutre ?

Elle crie en lui lançant une chaussure qu'il évite de justesse.

Jeannot. Il bredouille.

— T'as pas le droit de m' faire ça. J' suis pas comme un chien !

— Qu'est-ce tu racontes ? Si t'es pas content, t'as qu'à prendre tes affaires, tes affaires sales, et dégager d'ici !

— C'est aussi chez moi !

— Cause toujours ! Et t'étais où cette nuit ?

Il bredouille plus encore. Ses propos sont remplis de dyslalies prononcées.

— J' sais... pas trop. J'ai... eu... un accident !

— Un accident de bistrot ! C'est ça ?

— Mais non ! J'te jure. Y a quelqu'un qui m'a rentré dedans.

— En pleine nuit ?

Il se défend comme il peut.

— Ou...i !

Elle lui décoche un regard glacé. Un trait tiré en plein corps.

Elle ne le croit pas.

— C'est ça ! Cause toujours.

Elle se précipite dans la chambre et s'enferme. On l'entend souffler, aboyer, à travers la porte. Il ne fait pas attention et les voisins ont l'habitude. C'est un couple célèbre, celui du 236. Ils sont bien en dehors de la communauté. Survivant d'allocations, de secours. Chez eux, c'est comme une ménagerie. On y rampe, on y grogne, on y griffe. Chez eux, c'est laid, sordide. La tapisserie part en lambeaux. La moquette se décompose. Les meubles s'agitent sous les injures et le temps.

Il s'assoit un instant. La chaise grince en signe de protestation. Il ne sait plus quoi faire. Il a un coup dans l'aile, mais pas plus qu'elle. Trois ans que c'est comme ça ! C'est deux-là, ils n'existent plus que pour se déchirer et se retrouver. Mais c'est de l'amour quand même, du vrai. Celui qui fait bien mal mais qui aide pourtant à vivre.

Il dit à qui veut l'entendre.

— Je vais me tirer d'ici !

Mais il sait qu'il ne le fera pas. Pour aller où ?

Il ajoute.

— Faut que ça cesse !

Il ira se plaindre à quelqu'un.

Il se lève. Il fouille dans la cuisine. Elle a dû planquer un billet quelque part. Il déplace des boîtes en fer, des cartons. Rien. Il l'injurie en silence. Puis il s'énerve jusqu'à se tirer les cheveux. Des tifs sales, emmêlés, qu'il ne lave presque jamais et qu'il s'arrache par poignées. Alors il attrape son sac et s'enfuit de cet appartement. Le cœur asséché d'affliction, de haine, qu'une bonne rasade d'eau-de-vie ira faire reverdir.

LE HÉROS

Je traîne deux heures au poste. L'équipe va. L'équipe vient. L'attente forcée est une question de méthode. Il faut être méthodique pour ne pas trop s'abîmer l'esprit. Je travaille un peu sur la réorganisation du service. Je me rends compte pour la première fois que mon équipe est politiquement très correcte. La femme, le Noir, les braves gars. Comme à la télé. Pour moi, ça manque de détraqués, de frustrés, d'idiots, de salauds, de lâches. De gens normaux, en somme.

Un chevelu se pointe. C'est François. Il tient en main un appareil photo. C'est Marianne qui l'accueille. François est photographe. C'est un ami. Je partage avec lui un bout de péniche. La *Bakounine*. Un vieux truc flottant, amarré près d'un pont, sur la Marne, et qui nous sert d'atelier. Lui la photo, moi, quand j'ai le temps, la peinture.

— Bonjour. Je ne serai vraiment pas long. Je viens juste prendre quelques clichés du quartier. Les immeubles, les cages d'escalier, les habitants !

Marianne le dévisage. Il est assez grand, deux yeux sombres, un visage rieur. Marianne est toujours un peu troublée quand elle le voit.

Elle m'appelle. Je somnolais vaguement sur ma chaise. Je mugis péniblement.

— Quoi ?

— C'est François ! Il veut faire des photos.

— J'ai entendu.

Je me lève. J'arrive. Je demande.

— Des photos ? Quel genre de photos ?

Il répond en marquant presque chaque syllabe.

— Je viens photographier la décomposition de la société symbolisée par l'état de décrépitude des bâtiments et des gens. C'est cela que je veux fixer pour toujours.

— Toujours le même genre. Beau, crasseux, postmoderne, néodécadent. T'en as pas marre de photographier tous ces infirmes, ces grabataires, ces égrotants de la vie, comme un voyeur malsain ?

— Non ! Il s'agit de témoigner. Rien de plus. Rien de moins. J'ai un projet d'exposition. *L'urbanisme comme prise de possession de l'environnement naturel et humain par le capitalisme* !

— Est-ce que ça va faire chier le maire ?

— C'est probable !

— Dans ce cas, vas-y vite !

— Salut !

Il s'enfuit.

J'adore ce type ! Un mélange de raison, de déraison. Un néo-anarchiste hors norme.

*

Seize heures arrivent.

Je sors avec Robert pour faire notre tour des écoles.

Marne-la-Vallée, un jour de semaine, c'est presque mort. Pour y trouver un semblant d'animation ou un extrait de vie, il faut attendre le samedi. Alors on peut y contempler une population empressée qui se rend au marché ou au supermarché. En attendant ce jour fastueux, il faut se contenter des chômeurs qui traînent dans les bars, des jeunes qui traînent dans les rues, des mères de famille qui traînent devant les écoles.

C'est Robert qui conduit. En silence. Robert garde toujours le silence quand il est au volant. J'aime bien Robert. Et c'est réciproque. Je m'arrange pour qu'on fasse ensemble les tournées, les visites de l'après-midi. J'apprécie son caractère, sa faconde. Robert a atteint la cinquantaine sans méchanceté. C'est rare. Robert ne parle jamais de lui. C'est sans doute le plus brillant de l'équipe. Il a dû rater quelque chose pour échouer ici. On dit que Robert aime les garçons. Mais personne n'en est certain. En tout cas, il vit seul. Dans une petite maison. À quelques kilomètres de Marne-la-Vallée. À la campagne.

Le chien Médor observe la ville par la vitre arrière.

La radio vibre.

Je réponds.

— Véhicule zéro-un, j'écoute !

— Max ?

— Oui !

— C'est Joncart ! Y a le commissariat qui a téléphoné. On cherche à te parler d'urgence. Il faudrait que tu y passes. Demande le commandant Mangin du SRPJ. Salut !

On se rend chez les nationaux.

On arrive.

Robert reste dans la voiture. J'entre dans l'immeuble en préfabriqué. Trois étages. Des barreaux aux fenêtres.

— Je cherche le commandant Mangin. Il m'attend !

Un jeune type caché sous un uniforme, derrière un vaste comptoir, me répond.

— Troisième porte à gauche !

J'avance. La porte est ouverte. J'entre.

Mangin, je le connais très peu. Il doit avoir quarante ans. Grand, fin, il porte un costume clair. Il m'invite à m'asseoir. Il a le visage fermé. Il ouvre un dossier. Il prend son temps. Il étudie page à page.

Je garde le silence.

Il prend la parole.

— Monsieur Ripolini, je vais aller droit au but. Connaissez-vous Christiane Vaillant ?

Je m'étonne.

— Bien sûr, c'est… mon ex-femme. Que se passe-t-il avec Christiane ?

— Je suis désolé, monsieur Ripolini, votre femme, enfin... votre ex-femme, a été retrouvée morte à son domicile.

Vide.

Appel d'air.

— Christiane... morte ?

— Oui ! Je suis désolé. C'est la femme de ménage... ce matin.

— Vous êtes...vous êtes certain ?

— Tout à fait ! Je suis vraiment désolé !

Silence.

Trouble infernal.

Je ne comprends rien. Pourquoi suis-je ici ?

— Monsieur Ripolini... ça va ?

— Oui !

LE CORYPHÉE

Non, ça va pas ! Tu fermes les yeux, tu sens que tout bascule. Ton univers implose en un immense chaos. L'aveuglement te prend par les mains. Tu te sens vide. Tu te sens lourd. Tu entends l'écho de cette voix qui t'annonce la mort. La mort avec ses grands yeux bleus. Les mots ne prennent pas sens dans ta cervelle mais directement gagnent, pénètrent, envahissent ton corps tout entier. Tu veux réagir. Tu veux te défendre. Mais c'est impossible.

LE HÉROS

Je le regarde. Pourquoi me raconte-t-il cette histoire ?

Mangin tapote son bureau avec un stylo.

Il dit.
— Monsieur Ripolini, notre problème c'est que Christiane Vaillant a été… frappée. Au visage surtout. Et sans doute violée avant d'être assassinée… étranglée. Excusez-moi pour ces détails !

LE CORYPHÉE

Tu comprends que ce n'est pas une histoire. Tu roulais à l'air libre. Sans regarder le monde. Un soleil chaud brillait. D'un coup, le tunnel. Noir. Froid. Sans fin. Tu entres dedans. Sans savoir. Sans comprendre. La vie te quitte. Un mystère occulte te gagne.

LE HÉROS

Qui est ce type en face de moi ? De qui parle-t-il ? J'ânonne.
— Quoi ? Quoi ?
— Oui ! Violée, assassinée.
— Par qui ?
— Hélas, nous n'en savons rien !

LE CORYPHÉE

Tu te prends une rage terrible. Ça bouillonne à deux cents degrés dans ton esprit. Tu domines ta colère. Tu n'as pas encore craqué, ni pleuré. Tu ne le feras pas. Tu es un roc. Tu iras plutôt te saouler pour apaiser toute cette fournaise.

LE HÉROS

Je demande lentement.

— Que dois-je faire ?

— Voulez-vous prévenir ses parents, sa famille ? Nous n'avons pas d'adresses.

Ma voix se fane.

— Elle n'en a plus !

Je me souviens. Les parents Vaillant ont décidé de décéder quelques années plus tôt. Le premier d'un cancer, la seconde d'un chagrin. Ils n'auront pas à souffrir de la disparition de leur fille. Moi, au contraire, je vais tout prendre dans la gueule. Et personne avec qui partager cette douleur.

Mangin ajoute encore.

— Nous irons plus tard à la morgue, pour la reconnaissance officielle.

Je ne me sens pas bien. Je demande à partir. Je sors du commissariat. Je vomis contre un arbre qui n'a rien fait. Mon corps domine mon esprit.

Robert s'approche et me demande.

— Quelque chose qui ne va pas mon vieux ? Tu es malade ? Tu es blanc comme un linge !

— Tu me déposes au poste. Je rentre chez moi. Tu diras à Antoine de faire la patrouille avec toi !

— Il est du matin !

Je m'énerve.

— Il fera des heures supplémentaires !

Moussa. Vers dix-sept heures, il se lève. Hagard, perdu, mais reposé. Seule une petite lampe éclaire sa chambre sans fenêtre. Qui a dit que c'était une chambre, ce morceau de couloir d'à peine un mètre cinquante de large ? Juste la place pour un bout de matelas et une valise en toile rigide où se trouvent entassées toutes ses possessions. Il y fouille pour récupérer ses affaires de toilette.

Il monte à l'étage pour prendre une douche. Il croise deux compatriotes du pays Soninké. Eux, ils sont sénégalais de Tambacounda tandis que lui, c'est un Malien de Kayes. La géopolitique a ses raisons que la raison ignore. Ils boivent du thé brûlant. Moussa en prend une tasse après les salutations d'usage.

Il monte encore d'un étage.

De la petite fenêtre de la salle de bains, il peut voir un jardin en déshérence. Le propriétaire se contente d'accaparer le loyer.

Moussa se dit une fois de plus.

— Quelle tristesse !

Il se rase avec soin. La présentation, ça compte beaucoup dans son travail. Six mois déjà qu'il est en France. Depuis peu, il a un emploi fixe, bien que non déclaré. Il en a eu des problèmes, lui, Moussa Diakité, le petit-fils du héros. Son grand-père, c'est Alamin Diakité, le grand, le sage, le médaillé, l'homme illustre qui a combattu l'Italie et l'Allemagne sous les ordres du maréchal Kœnig. C'est ce même grand-père qui lui a appris le français dans des livres « Rouge et Or ». Moussa s'est promis de faire aussi bien. Son village attend qu'il envoie de l'argent. Chez les

Soninké, c'est la tradition que de partir. Il a essayé le Nigeria, la Côte d'Ivoire. Deux échecs. Il faut réussir en France. Sinon il aura honte pour lui-même.

Il revient dans la petite cuisine. Les deux Sénégalais sont partis. Ils travaillent dans une imprimerie. Moussa est maintenant seul. Il déroule son tapis et fait ses prières. Exalté. On peut entendre combien Allah est grand et son peuple tout petit.

LE CORYPHÉE

Il y a pas mal de monde à l'enterrement. Le ciel est bas. C'est le genre de cérémonie qui attire les foules. Les collègues de Christiane, ceux de Max, sauf Grégoire qui est de permanence, le commandant Mangin, le juge d'instruction Lambert, une jeune journaliste du *Parisien*, trois représentants de la mairie et quelques vagues amis. François, le photographe, bien sûr, et Pierrot, un pilier de bar qui a été boxeur. Le peuple est silencieux. Tu parles d'un spectacle.

LE HÉROS

D'un regard je crache sur la piteuse présence de mes congénères tandis que le corps est mis en terre. Que faire ? J'imagine alors le pourrissement des chairs, le visage qui se ronge, le cœur qui se vide. J'écoute les paroles confuses du prêtre. Celui-ci oscille comme un encensoir entre éloge elliptique et panégyrique pitoyable. Il reste discret sur le meurtre et conclut qu'il ne faut pas désespérer de l'Homme. Ce qui me fait sourire. *Deo gratias.*

LE CORYPHÉE

Max a eu quelques difficultés pour obtenir le permis d'inhumer. À cause de l'enquête. Il y a eu une autopsie. Le légiste a tout confirmé. Les coups. Le viol. Et le massacre méthodique du visage. Cause du décès : asphyxie par strangulation. Le tout avec 2,8 grammes d'alcool dans le sang. Il a dû revoir une dernière fois Christiane.

LE HÉROS

À l'institut médico-légal, ils avaient fait un effort pour la rendre présentable. J'ai failli vomir. Mangin était là. Le légiste aussi. J'ai préféré me concentrer sur les taches de rousseur qu'elle avait sur les épaules. Pour oublier le visage. Mais jamais je n'oublierai.

J'ai demandé à voir le rapport. Le légiste, il s'appelle Galand, m'a lu son texte. Un baratin de toubib. Une remarque cependant. Christiane avait les trompes ligaturées. J'ai demandé des explications. Il m'a dit qu'elle ne pouvait plus avoir d'enfant. Depuis bien longtemps.

J'ai compris d'un coup qu'elle m'avait menti pendant des années. Qu'elle avait fait semblant !

On m'a fait une prise de sang pour vérifier que j'étais innocent. J'ai plaisanté.

LE CORYPHÉE

Les journaux en ont parlé. Trois lignes dans *Le Monde*, trois pages dans *Le Parisien*. Un meurtre à Marne-la-Vallée, ce n'est pas si fréquent. La presse locale s'est régalée.

Je me chante le *Requiem en ré mineur K.626* de Mozart. Une musique folle, terrible, qui m'a toujours fait peur. On y entend la mort qui descend, sourde, lourde, invincible.

— Monsieur Ripolini, recevez toutes mes condoléances !

Rien à foutre de tes condoléances.

— Monsieur Ripolini, je suis désolé !

Moi aussi, moi aussi !

— Max, c'est terrible. Compte sur moi. Appelle-moi si tu as besoin de quelque chose !

Une bouteille de whisky, j'ai juste besoin d'une bouteille de whisky. Allez, casse-toi ! Cassez-vous tous ! Comment pouvez-vous être désolés ? Désolés de quoi ? Vous avez quelque chose à vous reprocher ? Non. Eh bien moi, oui ! Dehors ! Dehors tout le monde ! Vous me dégoûtez avec vos condoléances.

— Monsieur Ripolini.

— Quoi encore ? Ah ! Excusez-moi, commandant !

— Je vous en prie. Je suis désolé.

Il a l'air sincère, Mangin.

— Je sais, je sais !

— Puis-je vous parler, plus tard ?

— Oui, bien sûr !

— Passez donc demain au commissariat. Je vous y attendrai vers quinze heures. Au revoir !

Il s'éloigne. Qu'est-ce qu'il me veut encore ?

— Max, si t'as besoin de voir quelqu'un, n'hésite pas.

— Merci, mais ça ira.

La cérémonie prend fin. Le ciel devient noir. La foule s'éclipse aussi rapidement qu'elle est venue. Le juge d'instruction Lambert me fait un signe de la tête et s'en va. Finalement, on ne traîne jamais longtemps dans ces endroits. La nécropole est déserte maintenant. Je retourne devant la tombe de Christiane. Et je pleure. Je ne peux retenir mes larmes. Elles coulent sans fin. Je me vide. *Abyssus abyssum invocat.*

LE CORYPHÉE

Longtemps son esprit demeure absent. Il erre dans les allées où d'autres Christiane sont déjà retournées à la poussière. Tout autour du vieux cimetière, il y a des immeubles laids, sinistres. Les vrais promoteurs ont refusé le projet, alors on a construit des HLM avec vue sur la mort.

LE HÉROS

Je rentre chez moi. Je retrouve le chien Médor qui n'a pas voulu assister à la cérémonie. Il me saute dans les bras. De nous deux, c'est bien l'animal le plus vivant. J'ouvre une des bouteilles de vieux malt que je gardais en réserve. Pour les occasions spéciales.
Je bois.

LE CORYPHÉE

Il boit. Beaucoup. Trop.
Il a pris conscience de la douleur de l'absence.
Il se souvient des moments de vie qui se sont accumulés et superposés un à un. Une archéologie de la mémoire qui vibre d'émotions contenues.

Il boit encore.
L'occlusion des sens le gagne.

LE CHŒUR

Il a oublié. D'un coup ! L'odeur est partie. Ses mains sont à nouveau pures. L'image est blanche. Le visage a disparu. Plus personne pour l'observer. Plus personne pour le juger. Il peut continuer de vivre sans penser au passé. Quel passé ? Un moment d'égarement.

Pour un temps il peut reprendre sa vie en main.

Mais il sait que ses neuromédiateurs sont détraqués. Qu'il existe quelque part dans sa cervelle un récepteur attentif aux pulsions qu'il se crée. Et qu'à la moindre alerte, *Elle* sera là pour lui faire des reproches.

LE HÉROS

J'ai l'esprit confus, les yeux rouges, le cœur blanc.

Dehors, l'orage éclate. Dans la nuit des éclairs fulgurent autour de la ville. Le bruit est infernal.

Sans cesse des questions me viennent à l'esprit. Des questions sans réponse possible. Pourquoi est-elle partie ? Que faisait-elle ? Qui était-elle ?

Je me souviens. Elle m'a quitté il y a deux ans. Je n'ai pas vu passer le temps. Elle a demandé le divorce. Parce que j'étais trop absent. Parce que je buvais. Parce que.

C'est autour de ces lentes interrogations que mon esprit tourne. Entre équilibre, déséquilibre. Entre doute infini, certitude dérisoire. J'avance. Je tourne. J'avance. J'entre en collision avec les débris de mon passé.

LE CORYPHÉE

Il faut te faire à l'idée qu'elle ne t'aimait plus. Que tu avais fini de l'émouvoir, de la faire rire, de la faire rêver. Ne cherche pas d'explication. Repose-toi ! Prépare-toi à souffrir. Tu n'as pas encore fait le deuil de l'amour, tu ne feras pas le deuil de la vie avant longtemps.

LE CHŒUR

Moussa. L'orage est passé. L'aube se rapproche. Il est sur son vélo. Un truc pas cher qui roule mal mais qui roule quand même. La chaussée regorge, dégorge, d'humidité. Un vent de nulle part mugit. Comment savoir d'où vient le vent quand il saute d'immeuble en immeuble, de rue en rue, sans prévenir, sans s'annoncer. Comment savoir d'où vient le vent quand dans cette haute cité on ignore l'est de l'ouest, le nord du sud, quand au petit matin on n'aperçoit plus qu'une lune fatiguée qui peine à lancer ses ultimes feux au-dessus d'une terre située nulle part.

Moussa avale l'avenue. Passe sous le pont. Roule lentement dans les petites rues. Arrive devant le pavillon. Ouvre le cadenas de la grille. Il entre.

Moussa range son vélo contre un arbre desséché. Pénètre dans la maison. Va boire un verre d'eau. Descend dans la cave où se trouve sa chambre. On peut entendre résonner de partout les ronflements de ceux qui dorment : des

Africains surtout, mais aussi deux Marocains et un Sri Lankais. Des esclaves qu'un marchand de sommeil vole avec méthode.

Fatigué, fourbu, foutu par sa nuit laborieuse, il se couche malgré la sueur.

LE HÉROS

Le téléphone sonne dix-sept fois.

Je décroche, encore endormi.

— Ou...i !

— Ripolini ?

— Ou...i !

— Ici Mangin ! Nous avions rendez-vous !

— Exact ! Vers quinze heures. Quelle heure est-il ?

— Quatorze heures trente !

— Où est le problème ?

— C'était hier !

Je marque un temps.

— Je vois ! J'ai dû oublier ! Je passe cet après-midi !

Je raccroche. Je me souviens vaguement de quelques cauchemars pleins de carnavals tristes et de chagrins radieux. Je m'éveille enfin à l'existence. Je suis fatigué, fiévreux. Un bruit sonne. Ma tête résonne. Je reconnais mon salon. J'ai dormi vautré sur le canapé. Je reconnais les trois bouteilles vides de vieux malt, l'album de photos, les paquets de lettres, qui jonchent le sol. Il y a comme une odeur. Le chien Médor s'est laissé aller à ses fonctions primaires. Il a pissé, chié, devant la porte. Il a agressé violemment la poubelle pour tenter de se nourrir. Moi aussi, je me suis laissé aller. Les toilettes, le lavabo sont arrosés de vomissures séchées.

Tout l'appartement pue, et moi plus encore. Je mets un disque. Schubert, Franz. *La Jeune Fille et la Mort.* C'est de circonstance. Le *Quartetto italiano* accompagne mon retour à la vie. J'avale le fond d'un verre de vieux malt pour me rincer la bouche. Je prends cinq aspirines pour me rincer le cerveau. Je fais couler un bain d'eau froide. Je ramasse les merdes du chien Médor. Je nettoie les toilettes, le lavabo. Je jette toutes les photos, sauf une où Christiane regarde le ciel. Je jette toutes les lettres, sauf une où Christiane écrit qu'on ne se séparera jamais. Je jette les bouteilles vides. Je bois deux litres de café. Je donne de la pâtée au chien Médor. Je prends mon bain en criant. Je me récure de fond en comble. Je m'habille. Je passe l'aspirateur. J'ouvre les fenêtres. Je reprends cinq aspirines. Et je sors me promener avec le chien Médor.

*

J'arrive au commissariat. Je vais directement au bureau de Mangin. Celui-ci est en plein travail. Devant lui, des fiches, des dossiers.

Il demande sans me regarder.

— Vous êtes là ?

Je ne réponds pas.

Il ajoute.

— On va faire le point. Asseyez-vous !

Je prends un siège. Mangin semble nerveux. Il détend sa cravate.

Je lance.

— Je vous écoute.

— J'ai eu le juge d'instruction. J'ai carte blanche pour l'enquête. On avance doucement !

D'une voix aigre, je fais.

— Vous n'avez donc aucune piste.

— Pas tout à fait ! Avez-vous idée de la vie privée de votre femme ?

Je réfléchis. Je constate que je ne sais rien de Christiane depuis notre séparation.

— Non ! Pas vraiment. On se téléphonait une ou deux fois par mois. Elle me parlait surtout de son boulot, rien de plus. Je ne sais même pas si elle fréquentait quelqu'un. Elle était assez fière de sa réussite. Elle gagnait bien sa vie. Elle était responsable d'un service. C'était devenu difficile de parler d'autre chose. Je lui donnais des nouvelles du chien Médor.

Mangin semble réfléchir.

Je me rends compte qu'elle a toujours été secrète. Même avec moi.

Mangin me coupe dans mes pensées.

— Une chose est certaine, l'appartement n'a pas été forcé. Rien n'a été volé. Elle devait donc connaître son meurtrier.

— C'est possible !

— Excusez-moi pour ces rappels.

— Je vous en prie.

— Son agenda ne nous a rien appris. Nous avons interrogé ses collègues. Rien non plus de ce côté.

J'en conclus.

— C'est l'impasse !

Mangin confirme d'un hochement de tête.

J'ajoute.

— Et les analyses ?

— Les empreintes n'ont rien donné. Elles ont toutes été effacées. Pour l'ADN, il n'existe pas encore de fichier central. Ça servira juste à le confondre.

— Si jamais vous le trouvez !

— Nous continuons l'enquête de voisinage. On finira bien par trouver quelqu'un qui a vu quelque chose. Le meurtre a eu lieu vers deux heures du matin. Il est rare d'avoir des visites à cette heure.

— Il est rare également que des voisins traînent à cette heure !

— Je vous l'accorde. Mais je vous le redis, elle devait connaître son assassin. Pouvez-vous me faire la liste de tous les amis que vous lui connaissiez ?

— Si vous voulez. Si cela peut vous servir.

Je dresse la liste demandée sur une feuille qu'il me donne. Je me lève.

Mangin précise.

— Téléphonez-moi si d'autres noms vous reviennent.

— Vous pouvez compter sur moi !

Mangin insiste.

— Si vous avez une idée, n'oubliez pas de me prévenir.

Je sors du commissariat. Le soir approche. Des amoncellements d'obscurité signalent au loin un retour de la pluie. Il pleut souvent à Marne-la-Vallée. Je file directement au bistrot le plus proche. Il est enfumé. Une dizaine de soiffards l'occupent. C'est l'heure de l'apéro. Je commande un sandwich, un demi, que j'avale machinalement. Je dois présenter au monde une drôle de gueule car le garçon ne cesse de me dévisager. Je paie. Je sors.

Je me rends en voiture chez Christiane. J'ai les clés. Elle me les avait données en disant qu'au moins je pourrais venir à son secours si elle perdait son trousseau !

LE CORYPHÉE

Tu parles d'un secours. Tu étais où la nuit de sa mort ? Tu cuvais ? Tu dormais ? Tu rêvais ? Et tu n'as rien entendu ? Ce cri dans le lointain qu'une main allait faire taire à jamais. Tu n'as jamais été là pour elle. Toujours en fuite. Toujours en exil. C'est pour ça qu'elle est partie. C'est pour ça qu'elle est morte. Tu le sais et tu te sens coupable.

LE HÉROS

J'arrive dans un lotissement d'une dizaine de petites maisons. L'architecte a fait mettre des briques rouges autour des fenêtres. Pour décorer. J'y suis venu deux fois auparavant. Celle de Christiane est la plus éloignée. Sa voiture est encore là. Une Peugeot noire. Je descends. Je m'approche du pavillon. Il y a des scellés sur la porte. Je les fais sauter. J'ouvre. Personne ne m'a vu. J'entre. Il y a une odeur persistante. Comme de la terre humide. Je fais un tour rapide. Rien n'a changé depuis ma dernière visite. Le salon, la cuisine, le bureau et, à l'étage, les deux chambres, la salle d'eau. L'ensemble est décoré avec goût. Quelques reproductions de peintures modernes, Klein, Mondrian, et des meubles au design italien. Il règne un désordre peu naturel. La police a dû fouiller en détail.

Je m'assois dans un fauteuil. Un fauteuil, gris, vert. Je ferme les yeux. J'ai encore mal à la tête.

Quand je les rouvre, je me rends compte que je me suis endormi. Au moins une heure. Je me lève. Je passe dans la cuisine pour me rafraîchir le visage, les mains. Je me sens moite. Je photographie mentalement toutes les pièces, pour ne jamais oublier. Le grand lit, les meubles, les fauteuils, les bibelots. Je me dis pourtant que, plus tard, il faudra me débarrasser de ces choses matérielles qui risquent de peupler trop lourdement mes souvenirs. Je fouille un peu dans le bureau. Plus pour m'occuper l'esprit que pour chercher des indices. Je découvre quelques lettres, un carton à dessin. Mon cœur se gonfle de douleur, de mélancolie. Le souvenir d'une époque, sinon heureuse, du moins vivable. Les lettres sont toutes de moi. Une série que j'avais envoyée quand elle était partie toute une année en poste à l'étranger. Des lettres d'amour. Les dessins aussi. Il y a si longtemps.

Mangin se trompe. Ce ne peut être qu'une rencontre fortuite avec la mort. Je ne vois personne de notre entourage faire ça. Christiane, si elle a trouvé quelqu'un, c'est sans doute dans un bar de nuit, ou quelque chose de proche. Elle a toujours aimé ce genre de rencontre. L'amour guidé par le hasard. C'était ça, l'unique forme de débauche qu'elle pratiquait.

Je me souviens. C'est dans l'un de ces bars que nous nous étions rencontrés. Dix ans plus tôt. Il y avait un pianiste. Elle buvait un cocktail. Trois mois plus tard nous étions mariés.

C'est par là que je dois commencer.

LE CORYPHÉE

La justice doit suivre son cours. C'est une triste plaisanterie ! Pour Max, ça fait trop mal pour qu'il ne se purge pas par le talion. Max Ripolini, trente-six ans, beau gosse, en guerre contre le monde, contre un individu, pour un souvenir déjà décédé avant que d'être mort. Les hommes mènent les combats qu'ils peuvent. Dans sa quête, Max a de la chance. Les lieux de rencontre pour solitaires sont peu nombreux à Marne-la-Vallée. Ce qui est surprenant : les gens y vivent tellement seuls.

LE HÉROS

Je prends les lettres, le carton à dessin. Je sors.

Le soir est là. Pas de lune. Les nuages étouffent Marne-la-Vallée. Je traverse rapidement la ville par la voie express. Je sors par une bretelle pour me rendre chez moi. Je remonte une avenue presque déserte.

J'accélère. Un peu de fatigue, un reste de whisky mal dilué, les méninges en décomposition, la vigilance qui se barre.

Et c'est l'accident.

J'ai rien vu venir. Une silhouette qui surgit de la nuit. Et le choc. Sourd. Inévitable. Je freine. Je m'arrête. Je me précipite. Sur la chaussée, elle est couchée. C'est une jeune fille. Peut-être seize-dix-sept ans. Elle ne bouge plus. Je suis assommé, tétanisé. Quelques personnes accourent. Des voitures ralentissent. J'attends, immobile. Puis une sirène. Celle des pompiers. Puis les flics. Des gyrophares zèbrent l'obscurité. Les pompiers embarquent la jeune fille. Les flics interrogent les témoins. On me reconnaît. On me questionne gentiment. Je m'explique. Je roulais. Un peu vite. C'est possible. Elle a traversé d'un seul coup. Arrivant de nulle part. On me comprend. On m'explique qu'il faut suivre la procédure. La prise de sang et tout ça. J'acquiesce.

Sous l'émotion mon esprit vacille.

Cécilia. Elle est maintenant enfermée dans la salle de bains.

Jeannot. Il demande à travers la porte.

— Pourquoi tu fais ça ?

— Pourquoi ?

Elle sort comme une furie, les bras en avant. Elle tente de le gifler, de le griffer. Il se protège le visage comme il peut.

Elle ajoute.

— Pourquoi ? Tu demandes pourquoi ? Mais regarde-toi, avec ta sale gueule, ta sale barbe, tes sales vêtement. J'en peux plus. T'es qu'un minable. Tu mérites pas que je passe mes jours, mes nuit, avec toi !

Il recule, glisse, et se retrouve à terre.

Il siffle entre ses dents.

— Arrête donc ! T'es pas un peu folle !

— T'es très bien comme ça ! À mes pieds. C'est ta vraie place. Un moins que pas grand-chose !

Elle s'éloigne en lui jetant un regard empli de mépris.

Il jure.

— Un jour, tu verras, je partirai, et tu regretteras tout ça !

— Cause toujours !

Elle retourne dans la salle de bains.

Il sait qu'il ne partira pas. Que toujours il reviendra. Mais il faut qu'on l'écoute. Il doit se plaindre à quelqu'un. Hélas, il n'a personne à qui parler. Il se relève. Il fouille dans son sac en toile, trouve un flacon de tequila et l'avale d'un coup.

Il l'entend. Elle revient. Elle traverse le couloir sans rien dire. Vêtue d'un manteau noir, sale, rapiécé, elle sort en claquant la porte d'entrée.

LE HÉROS

J'arrive chez moi.

Je donne à manger au chien Médor.

Je médite. Encore une journée pleine de vide, de pensées sombres, de rêves déjantés. Et cet accident. Comme un nouvel obstacle à mon voyage infini sur l'Achéron.

Ne pas sombrer pourtant. Il me faut passer à l'action.

Je me tape un litre de café et presque autant de vieux malt.

Une heure après, je suis en état d'agir. Il est vingt et une heures. Le chien Médor court dans tous les sens. C'est l'appel de la promenade. J'exécute mon devoir.

La pluie tombe d'un coup. Comme une vague continue. Elle tombe en flaques lourdes et graisseuses pour déborder des trottoirs, pour nettoyer la fiente humaine, pour laver le mauvais sang, pour se répandre à travers terre et finir Dieu sait où.

De retour, on s'égoutte, on s'ébroue et je me change. Je prends avec moi la photo de Christiane, un bloc de feuilles à croquis, un crayon gras, une gomme. J'allume la télé pour le chien Médor.

— Je te laisse un moment. Ne fais pas de conneries !

— Ouaf !

Je sors.

Je roule.

La pluie prend fin. Je roule parmi des tours, des mauvais pavillons. Je roule parmi des quartiers mal famés, d'autres plus vivables. J'aime rouler la nuit. L'esprit flottant entre deux réalités. Les flaques d'eau reflètent en écho les lumières de la ville.

LE CHŒUR

Cécilia. Elle tangue. Elle se rattrape comme elle peut. Elle crache par terre. Les lumières dansent autour d'elle. Dans son esprit les sons dissonent en cataracte.

Elle n'a pas compté les verres, les verres avalés, dans ce bouge sordide.

Où est-elle ?

Elle se retourne. Une sorte de sixième sens. Une ombre, un homme. Qui est ce type ? Il a des yeux de fou et les bras tendus vers elle. Il ne bouge plus. Elle hésite. Elle recule légèrement. Un sentiment de peur la dégrise quelque peu. Elle recule encore. Et elle s'enfuit en soufflant.

*

Juste à temps. Il s'est arrêté. Elle ne lui a pas convenu. L'état général, le visage sans grâce. Il n'aurait pas pu.

Pourtant il le doit. Il n'a pas su s'empêcher de sortir, se retenir, se raisonner. Il doit le faire. Mais il doit être prudent. Les journaux ont parlé de lui. Pas directement. Personne ne sait. Mais tous les détails de la mort sont écrits.

Là, c'est comme une obsession. *Elle* lui a fait toutes sortes de reproches. Avec le même sourire glacial. Il est parti de chez lui. En courant presque. Maintenant il cherche. Il faut que ça aille vite. Le sol est humide. Il n'y a pas grand monde. Non ! Pas ce soir ! Il veut résister.

Mais il n'y parvient pas. Ce soir. Ici. Maintenant. Il faut qu'il trouve.

LE HÉROS

Je roule une heure au moins. Comme pour m'enivrer d'images. La nuit, les lumières, la nuit, les lumières…

De mes entrailles altérées, une répugnance menace. Ce monde ennuyé d'éphémères ne mérite que dégoût, haine, rabougrissement. J'implore Sodome. J'invoque Gomorrhe. Je me souviens de ce Dieu cruel et vengeur.

Alors je me détourne de ma route. J'arrive devant la maison de Christiane. L'effet trouble d'un hasard inconscient. Le lotissement dort. J'arrête le moteur.

Je vais le faire. Mais après ? Suis-je certain d'en être libéré ?

Je sors. Je cherche dans mon coffre un bidon d'essence. Une dernière fois, une ultime fois, je pénètre dans la maison. J'observe le silence dans l'obscurité. Je vide cinq litres de carburant sur les meubles du salon. J'attrape des feuilles de papier. Je confectionne une sorte de mèche. Je n'ai besoin que de quelques secondes. J'allume. Le papier s'enflamme. Lentement la mèche se consume. Le canapé, d'un coup, s'embrase. Je ne réagis pas. Une sorte d'hypnose me gagne. Les flammes s'emparent rapidement des autres meubles. La chaleur monte. Je ne peux pas bouger. Le brasier rougeâtre me fascine. La fumée m'encercle, me fait tousser. Enfin je réagis. Un instinct retardé de survie. Je me précipite dehors. J'avale de grandes lampées d'air frais. Je crache. Je souffle. Je monte en voiture. Je redémarre. Je m'enfuis. Laissant brûler derrière moi le bûcher de ma mémoire.

Je roule encore un peu. Je me place sur un parking désert. J'attends. La tête en loques, les yeux gonflés, brûlants de larmes. J'attends jusqu'à entendre les sirènes hurlantes des pompiers. Maintenant, il ne doit plus rien rester du passé de Christiane. Elle n'existe plus que pour moi, que par moi.

Je pars en chasse.

LE CHŒUR

Sabine. Le spectacle prend fin sous les applaudissements polis des spectateurs. Le massacre de Brecht par une troupe d'acteurs amateurs est un crime. C'est ce que pense Sabine. *La Bonne Âme du Setchouan* ne mérite pas ça ! D'un autre côté, ça lui fait une sortie. Elle aime le théâtre, mais ce que propose le centre culturel de Marne-la-Vallée n'est pas toujours à la hauteur de son amour. Elle quitte le lieu. L'air est humide. Elle prend le chemin de son appartement, à travers le parc. Bien sûr, elle pourrait aller à Paris, mais elle a peur de rentrer seule, en RER, le soir. Elle n'a pas de voiture. Elle n'en a pas les moyens. Un petit boulot de secrétaire médicale dans un cabinet de kiné. Pas de quoi envisager le monde sous son meilleur jour !

À un moment, elle a bien cru entendre quelque chose. Une voiture sans doute. Elle tourne à droite, dans l'allée, entre les arbres noirs. Tout semble calme. Elle fait semblant de ne pas s'inquiéter. Car elle a toujours un peu peur. Elle a raison.

Comme un souffle, elle sent quelque chose derrière elle. Quelque chose qui effleure son épaule. Puis une main se pose sur son visage. Puis une douleur s'empare de son cou. Puis l'air vient à manquer. Puis une nausée lui prend le cœur. Puis son esprit s'envole. Puis le néant.

LE HÉROS

Ma première étape me mène au Blue Moon. Un bar chic au décor rétro. Un de ces lieux où l'ennui et le bruit se marient avec goût. Une musique d'ambiance poisseuse m'excite l'humeur. Je m'assois au comptoir à coté d'un client à la tête de grenouille, vêtu d'un costume de lin et d'une perruque assortie. Je commande un whisky. Double, sans glace. Quand le patron m'apporte mon verre, je lui place sous le nez la photo de Christiane.

Le patron fait.

— Jolie fille ! Mais ça ne me dit rien.

— Je peux demander à vos serveuses ?

— Faites comme il vous plaira !

Je me dirige dans la salle où somnole une petite clientèle bourgeoise, falote. Je montre la photo aux deux jeunes filles en tenue légère. Leurs réponses sont évasives, négatives. Je retourne à ma place.

Le client du comptoir demande à voir.

Il dit, la bouche en avant, l'air de téter.

— Elle est bien bandante, cette femme-là. Mais je l'ai jamais vue. Dommage !

Ce sous-entendu déplacé, mêlé à la sono détestable, m'agace.

Je lui balance.

— Mon pote, t'as la tronche d'un gros batracien pervers qui aime plus sa bagnole et son banquier que sa femme et ses gosses. Alors évite tes commentaires à la con et va te faire enculer.

Il en bave d'incrédulité. Il pose un billet sur le comptoir et quitte la place sans dire un mot.

Le patron, qui a observé la scène, s'approche.

— Si t'as le projet de faire fuir ma clientèle, c'est pas la peine de rester.

— Écoute mon gros, j'emmerde ta clientèle et je t'emmerde.

Le patron aboie.

— Saïd, Gérard, lourdez-moi cette merde !

Deux vigiles arrivent en courant. Deux cents kilos de viande rouge, gonflée aux hormones. Mieux vaut ne pas résister. Je n'ai pas le profil d'un garçon boucher de la Villette.

— C'est bon ! Je quitte ce bar minable. Mais dites-vous bien que je ne ferai pas de réclame pour votre établissement.

— C'est ça ! Dégage !

Je sors. J'aurais voulu donner des coups de pied dans la porte vitrée mais la gueule des deux cerbères m'en dissuade.

Je me remets à rouler. La gueule haineuse.

Je croise par deux fois un groupe de jeunes qui s'amusent à lancer des pierres sur les lampadaires. Un gâchis. Certains ne doivent pas avoir treize ans. Ils se divertissent. Les programmes télés sont tellement mauvais. C'est juste un peu d'ennui ! Il faut dire ça au maire, au préfet, au ministre. *Faust* me revient à l'esprit.

Et Satan conduit le bal…

Ou alors c'est bien plus grave. Cela signifie qu'une chose inconnue s'est développée.

LE CHŒUR

Il tire en soufflant. Il fulmine. Il vocifère. Le corps pèse. Il le traîne sur une centaine de mètres et le laisse à proximité d'un arbre. La robe est déchirée, les jambes sont griffées mais le visage est intact. Il constate. Elle lui sourit. Il tressaille. Il frissonne. Il frémit. Ce n'est pas possible. Après ce qu'il lui a fait, elle ne peut pas sourire comme ça. Il se met à tourner sur lui-même. Il aperçoit une branche d'arbre tombée au sol. Il l'attrape. Une branche assez lourde. Et il frappe. Sauvagement. Dans tous les sens. Il est pris d'un mouvement ataxique. Il ne faut pas se moquer de lui. On n'a pas le droit de sourire comme ça. On n'a pas le droit de le juger. Surtout pas *Elle*. Il ne pense plus. Il frappe. Les yeux clos pour ne rien voir. Il sent les chocs. Le craquement des os. La chair qui se tuméfie. La rougeur qui gagne. Il sent tout ça. Où est-il ? Que fait-il ? Il ne sait pas. Il frappe. Comme s'il respirait. Un besoin vital. Pourquoi ? Pas de réponse. Alors il s'apaise d'un coup et il se calme. Il rouvre les yeux. Il jette au loin son arme. La projection de sa violence. Sa vision est trouble. Il constate. Il se révulse.

Comme un animal, il se flanque à terre et il se met à quatre pattes. Il pousse des cris. Des cris qui tiennent lieu d'âme et d'émotions. Il se lamente. Il s'apitoie.

— Non ! Ce n'est pas moi ! Pas moi !

Puis le silence. Il se lève et lentement s'éloigne. La nuit sera longue encore. Il regagne sa vieille Renault et il rentre chez lui.

Je ne sais plus trop l'heure qu'il est. J'arrive au Paradise. Le public, vingt personnes, est sensiblement le même. La décoration plus exotique. Bananiers factices, faux rotin, salsa. Des fois, il y a un spectacle. Pas ce soir.

Le barman, un Black, change d'expression en voyant la photo.

Je me lance.

— Tu la connais ?

— C'est celle qui est décédée.

— Bonne réponse, tu reviens en deuxième semaine. Elle fréquente ce bar ?

Le barman hésite.

J'insiste.

— Encore trois secondes et je m'énerve !

Il répond, mal à l'aise, du bout des lèvres.

— Oui ! Oui !

— Parfait, on continue. Elle venait souvent ?

— Je la voyais une ou deux fois la semaine. Elle avait l'air gentille.

— Est-elle venue le soir où elle s'est fait assassiner ?

À nouveau il hésite.

Je m'impatiente.

— Un peu plus vite, mon garçon !

— C'est assez possible. Vous êtes qui exactement ?

— Police de Marne-la-Vallée !

Le barman se trouble.

Je sens le point faible. J'embraye.

— Qu'est-ce que tu as vu ce soir là ?

Il prend sa respiration.

— Elle était assise à une table et un monsieur est venu lui parler.
— Longtemps ?
— Ils ont bu deux ou trois verres d'alcool. Des cocktails.
— Ensuite !
— Ils sont sortis ensemble.
— Vers quelle heure ?
— Une heure du matin, je pense.
— Elle était souvent accompagnée ?
— Elle venait seule. Toujours seule. Mais elle partait quelquefois avec des messieurs. Elle venait pour ça.
— Elle venait pour quoi ?
— Pour sortir… avec des hommes !
Je m'y attendais mais je prends quand même un coup dans la gueule. J'encaisse l'uppercut sans broncher. Comment imaginer Christiane se faire sauter par d'autres hommes que moi ? Encore un voile de sa statue de déesse qui tombe. Mais qui suis-je pour dire ça ? Un connard stupide qui souffre. Jaloux d'un assassin.
Je demande.
— C'était un habitué, ce monsieur ?
— Je ne sais pas. Je l'avais jamais vu avant. Mais je ne suis ici que depuis deux mois.
— T'as l'air d'avoir une bonne mémoire. Tu vas me donner un whisky, triple, sans glace, et me faire un portrait du gars en question.
— Bien, monsieur !
Il me sert. J'avale mon verre, presque d'un coup.
Je demande.
— Pourquoi t'es pas allé à la police quand t'as lu l'information dans le journal ?
— Je préfère ne pas fréquenter la police.

— À cause des papiers ?
— Pas du tout !
Le barman comprend que je ne suis pas dupe.
Je poursuis avec bienveillance. Pour le rassurer.
— Et c'est quoi ton petit nom ?
— Pourquoi ?
— Juste pour avoir une idée du type avec qui je parle.
— Moussa ! Appelez-moi Moussa.
— Et tu viens d'où, Moussa ?
— Du Mali.
— Parfait. On y va. Commençons par son âge. Tu lui donnes combien à ce type ?
— Je dirais entre quarante et cinquante ans.
— Plus proche de quarante ou de cinquante ?
— Entre les deux.
— La taille ? Grand ? Petit ?
— Il était de taille moyenne. Un peu comme vous !
— Avait-il l'air riche ?
— Je ne sais pas.
— Sa gueule, maintenant !
— Quoi ?
— Son visage, si tu préfères.
— Il n'était pas très beau. Dégarni sur le front, un peu gras.
J'attrape mon bloc de feuilles, mon crayon, pendant que le barman sert des clients.
Il revient. Je continue l'interrogatoire.
— La tête était plutôt ronde ou allongée?
— Ronde ! C'est ça !
Je dessine un début de visage avec une tête ronde, un crâne dégarni. Pendant ce temps, on entre, on sort du club. Des clients qui viennent une heure ou deux pour ne rien faire ou pour faire semblant d'être plusieurs. La salsa laisse place au mambo.

Je lui montre mon dessin.
Je demande.
— Est-ce ressemblant ?
— Je ne sais plus trop. La mâchoire devait être un peu plus allongée.
— Quoi d'autre ?
— Les cheveux étaient bruns et formaient comme une couronne.
— Les yeux ?
— Ils devaient être gris, petits, rapprochés, avec des marques en dessous.
— Des poches ? Des valises ?
Je lui montre avec mes doigts.
— Oui ! C'est ça !
Je complète mon dessin.
— Le nez ?
— Normal. Comme pour un Blanc. Vous savez, pour nous, les Blancs se ressemblent beaucoup.
— Oui ! Et la bouche ?
— Épaisse.
— Donne-moi un autre whisky !
Il s'exécute.
J'achève le portrait de mon inconnu.
— Regarde bien, maintenant !
— C'est assez ressemblant. Mais je ne suis plus très certain pour les détails. En tout cas, vous savez bien dessiner, monsieur !

LE CORYPHÉE

Max, tu as étudié aux Beaux-Arts. Il y a longtemps. Tes profs disaient que tu avais du talent, de la technique. Mais tu ne l'as jamais prouvé. Quand ton père est mort, tu as vite cherché à gagner ta vie. Tu ne voulais pas finir comme traîne-misère ou artiste crève-la-faim. Alors, tu es entré dans la police municipale. Par facilité. Par hasard.

LE HÉROS

J'ajoute en le fixant.

— Manque-t-il quelque chose ?

Il réfléchit. Des éléments lui reviennent à l'esprit. Il me fait modifier certaines parties. Les yeux, le cou, la bouche. Il doute, il confirme.

Il finit.

— Je ne vois plus rien d'autre. C'est un peu flou dans ma cervelle.

— C'est bien ! Et ses vêtements ?

— Ils étaient sombres. Une veste, je pense.

— D'autres détails ? Même les plus anodins !

— Non ! J'ai tout dit.

— Bien ! Je ne pense pas que ce gars revienne par ici. Sait-on jamais. Prends mon numéro de téléphone et n'oublie pas de me prévenir si tu le revois.

— Oui monsieur !

Je rejoins ma voiture.

J'allume le plafonnier. J'observe longuement le portrait. Je veux le connaître par cœur, jusqu'à pouvoir l'imaginer en chair et le reconnaître dans la rue. Où peut donc traîner un type, plutôt pas beau, plutôt célibataire ? Nulle part ! Partout ! Il y a plus de cinquante mille habitants mâles à Marne-la-Vallée. Sans compter les alentours. Une chance sur cinquante mille de tomber dessus par hasard. D'autant que le type doit être prudent, s'il est encore dans le coin. Éliminons les grands, les petits, les très laids, les très beaux, les vieux, les jeunes, les basanés, les pauvres, les idiots. Il doit rester encore quelques milliers de coupables potentiels. Il faut encore en éliminer. En éliminer toujours. Toujours plus.

Une idée lumineuse me traverse l'esprit. Demain, j'irai consulter. Je rentre.

Je roule une dernière fois dans Marne-la-Vallée.

Même si personne ne s'en rend compte, moi je sais que maintenant quelque chose a gagné cette cité vague et boursouflée. Une sorte de lèpre urbaine. Elle est sur tous les murs. Elle coule, ronge, s'étend. On repeint. On ravale. Mais tôt ou tard elle revient, cette maladie du béton brut et sans âme.

J'arrive chez moi.

Le chien Médor veille encore mais il fait la gueule. Il en a ras le bol de mes absences. Il me le fait savoir en allant pisser sur la moquette.

Je l'engueule. Il reste impassible, semblant me défier du regard.

Je me calme.

— Bon ! Je sais. J'ai dû sortir plus longtemps que prévu. Excuse-moi ! Mais t'avais la télé. Une émission sur la chasse à courre en Sologne. Qu'est-ce que tu veux d'autre ? Je vais quand même pas te louer des cassettes vidéo ?

Silence.

— Viens, on va se coucher.

Le chien Médor ne se précipite pas dans la chambre. Il s'installe pour la nuit sous la table de la cuisine.

Vexé, je m'effondre sur mon lit sans me déshabiller.

Mangin. Il avance. Les yeux vagues. Le substitut Adler est déjà là. Le légiste ne va pas tarder.

Il s'informe.

— Qu'est-ce qu'on a ?

Le substitut répond.

— Un meurtre, sans aucun doute ! Et peut-être un viol. Il a été découvert ce matin par un promeneur.

Ils sont dans un petit bois qui longe la Marne. Il y a déjà un OPJ de son équipe. Krief. Et deux gars de l'identité judiciaire. Proche d'un arbre, dans tous les sens, il aperçoit le cadavre. Une femme habillée d'une robe simple, d'une veste bleue. La robe est déchirée. Le corps s'épand sur l'humus noir, brun. Les bras sont dépliés. L'un vers le haut, l'autre vers le bas. Les jambes sont restées droites. La tête forme un angle aigu avec le reste du corps. Le visage est à peine reconnaissable.

Mangin, à l'assemblée, fait remarquer.

— Ça ne vous rappelle pas quelque chose ?

Krief lui répond.

— L'affaire Vaillant. Le meurtre, la gueule défoncée et peut-être le viol.

— Exact ! Même *modus operandi*. On a affaire à un malade !

Le substitut demande.

— Vous pensez qu'il s'agit d'un criminel en série ?

— Faut croire que oui. L'analyse devrait nous le confirmer. On prend quelques photos. Souvenirs d'éternelles vacances.

Le légiste arrive au même moment. Il a le pas lourd du veilleur endormi qu'on surprend en pleine nuit. Il est accompagné d'un jeune type au crâne rasé.

— Salut Mangin.

— *Doctor* Galand, mes respects du matin.

Galand grimace.

— Te fous pas de ma gueule. Je te présente Omar Ariostani. Un jeune collègue que je forme. C'est son premier meurtre.

— Il a de la chance. Bon ! Qu'en dis-tu ?

Galand jette un premier coup d'œil et fait.

— C'est pas beau à voir. Les traces de strangulation indiquent qu'il a utilisé ses mains. Sans doute la tête a été défoncée par la branche ensanglantée qui se trouve un peu plus loin. Les écorchures et la boue sur les jambes sont dues à la traction.

Mangin demande pour le viol.

Le jeune légiste se passe une paire de gants en PVC, soulève la robe et constate.

— C'est probable. Elle n'a plus de culotte, il y a des traces rouges sur les cuisses et sans doute du sperme séché !

Mangin prend des notes.

Il demande à Galand.

— À toi aussi, ça te rappelle quelque chose ?

— Ouais ! La môme Vaillant.

— T'as une petite idée de l'heure de la mort ?

Galand enfile lui aussi des gants et commence à palper le corps.

— À vue d'œil, je l'estime à une dizaine d'heures. La *rigor mortis* est en train de s'installer mais elle n'est pas encore bien rigide. Je te dirai ça plus précisément quand j'aurai pris la température centrale.

Mangin calcule. Vers minuit hier soir.

Les gars de l'identité judiciaire ont commencé l'état des lieux. Les légistes se préparent à la levée du corps. Une ambulance vient d'arriver.

Krief a remonté la trace laissée sur l'humus.
Mangin le rejoint.
— Alors ?
Krief répond.
— Il a traîné le corps sur une centaine de mètres et l'a déposé à l'endroit où nous l'avons retrouvé. Elle a perdu une chaussure en chemin et j'ai trouvé une culotte déchirée. Comme il a plu hier soir, il a laissé des traces de pas. Il chausse du 42-43. Il a dû venir en voiture. Il n'y a pas d'habitation à moins de cinq cents mètres.
— Tu iras quand même y jeter un coup d'œil. On ne sait jamais. Un insomniaque qui regarde les étoiles à travers sa fenêtre.
À son tour le substitut les rejoint.
Il demande.
— Des indices ?
Mangin répond.
— Non ! pas grand-chose. Ce qui est étrange, c'est qu'il a rien fait pour cacher le corps.
Le substitut Adler suggère.
— C'est peut-être la réaction normale de celui qui veut signifier qu'il est le plus fort.
— Plus fort que la police ?
— Pas forcément ! Plus fort que quelqu'un, plus fort que la société, ou plus fort que lui-même !
Mangin semble comprendre. Le substitut n'est pas trop con.
Ce dernier ajoute.
— Les deux affaires étant visiblement liées, c'est Lambert qui instruira.
— Parfait.
— Au fait, c'est quoi cette histoire d'incendie dans la maison de l'autre victime ?

— Je ne sais pas trop. Je viens de l'apprendre. Mais je vais travailler dessus.

— Bien ! Faites vite !

Le substitut s'éloigne. Mangin regagne sa voiture.

Le jeune légiste arrive en courant.

— Attendez !

— Qu'est-ce qu'il y a ?

— Un détail qui pourrait vous intéresser. La fille, elle n'a pas de traces sous les ongles.

— Ah bon ! Et qu'en concluez-vous ?

— Elle ne s'est sans doute pas débattue. Elle est peut-être morte avant d'avoir été violée !

Mangin se souvient que Christiane Vaillant n'avait pas, elle non plus, de traces sous les ongles.

LE HÉROS

Je m'éveille en sueur. Dix heures. Je tremble un peu. Des images de sang devant les yeux. Une douleur sourde s'est emparée de mon cou, de mon crâne, de mes muscles. Le chien Médor est là, par terre, vautré, en train d'attendre l'heure de la promenade. Je me lève. Je me passe la figure sous l'eau. Je vais dans la cuisine. Je m'ingurgite une bière. Mon corps se calme. Ma langue lourde se décharge.

Je téléphone au poste en disant que je ne viendrai pas travailler. Que je suis malade. Je raconte l'accident.

Le chef Joncart me donne la semaine en me souhaitant courage.

Je raccroche.

Le chien Médor m'a suivi. Il me jette un regard impitoyable.

J'abdique.

— On y va ?

— Ouaf !

Sept minutes après, nous sommes de retour.

— Désolé, c'est un peu court mais j'ai à faire.

Le téléphone sonne. Je ne réponds pas. Je sors sans me changer, encore sale de la nuit que j'ai passée. Je me rends dans un immeuble que je connais bien. Je monte quatre à quatre les marches. Je sonne.

On ouvre la porte. C'est Fatima.

Elle s'exclame.

— Max ! Entre, mon joli. J'ai appris pour ta femme. Désolée !

— Merci ! Je sais que tu le penses !

— Quelle tête tu fais ! Tu as l'air d'un vilain cadavre.

— C'est possible. Quand on fréquente la mort, on en prend l'apparence !

Elle ne dit plus rien.

Fatima est une belle Méditerranéenne. Quarante ans. De grands yeux noirs. La chevelure en mouvement. Elle respire la vie. Mais elle fait semblant.

Fatima, elle fait dans le commerce sexuel depuis que son mari s'est fait sauter la gueule sur une bombe du GIA. Il y a quatre ans. Elle n'a jamais travaillé. Petite bourgeoisie algéroise. Père au FLN. Mère au foyer. Elle a obtenu par miracle un statut de réfugiée en France. Quand les réserves furent épuisées, elle se trouva fort dépourvue. Elle vendit ce qui lui restait. Ses bijoux, son corps. Après, elle fit travailler des connaissances, puis des réfugiées algériennes qui attendaient des papiers. Dans Marne-la-Vallée, son activité est connue. Mais personne n'y a jamais trouvé à redire. Elle gagne bien. Le foyer Sonacotra apporte son lot mensuel de travailleurs émigrés qui viennent se vider les couilles. Pour l'hygiène. Avec eux, pas d'angoisse. Ils en ont tellement envie qu'en deux minutes, c'est fini. Le vrai problème, c'est les hommes mariés. Ceux d'une cinquantaine d'années. Ils réclament toutes les perversions qu'on leur refuse à la maison.

Elle me fait entrer dans un salon lourdement décoré de tentures rouges, d'images évocatrices. Deux filles attendent d'éventuels clients, assises sur des chaises, un magazine à la main. C'est une heure creuse.

Fatima propose.

— Je t'offre un verre ?

— C'est pas de refus.

Je m'installe dans un fauteuil en cuir. Elle me sert. Un whisky simple, sans glace.

Je constate.

— Tu as de nouvelles filles ?

— Comme tu le vois. Des filles du pays. Avec tous les drames de l'Algérie, je n'ai pas de problème de recrutement. Elles veulent toutes venir en France pour travailler chez moi ou ailleurs. Tu en veux une ? Tu prends ! Ce sera mon petit cadeau pour t'aider à oublier. Je sais ce que tu peux ressentir. Moi aussi j'ai connu un drame comme le tien. Il y a quelques années.

Je détaille les deux jeunes filles. Des recrues de qualité.

— Plus tard ! Il faut que je te montre quelque chose.

Je sors le croquis.

— Regarde bien ce portrait. C'est important. Il est peut-être venu ici !

Elle regarde. Elle s'étonne. Elle affirme sans hésiter.

— C'est Lucien !

— Tu es sûre ?

— Absolument ! Il venait souvent. La calvitie, la rondeur. C'est presque certain !

Je n'en reviens pas.

Je demande.

— Tu connais son nom de famille ?

— Aucune idée. Je suis vraiment désolée. Je ne suis même pas sûre que ce soit son véritable prénom.

— Tu ne sais donc pas où je peux le trouver ce Lucien ?

— Hélas non ! Il travaillait dans une pharmacie. Il avait du pognon. C'était un bon client.

— Il ne vient plus ?

— Non ! Il a disparu depuis quelque temps. Tu sais, j'ai de la concurrence par ici.

J'exprime un semblant de satisfaction.

— C'est déjà ça !

Elle demande.

— Qu'est-ce qu'il a fait ?

— Rien ! J'ai besoin de son témoignage.

Je me lève.

Elle s'étonne.

— Tu pars déjà ?

— Oui ! j'ai un rendez-vous. Mais je repasserai.

— Pas dans six mois !

— Promis !

Je sors presque en courant. Un animal en chasse. Je renifle. La piste est bonne. Je me précipite au poste au volant de ma DS 21. Je grille un feu rouge. J'évite de justesse un bus.

Je me dis à voix haute.

— Calme-toi, Max ! Calme-toi.

Je me mets à trembler. Mon cœur bat trop vite. L'accident, la jeune fille, ils me reviennent à l'esprit !

LE CHŒUR

Mangin. Il a réuni les gars de son équipe dans une petite salle du commissariat. Ici, ils ne sont que locataires. Une simple antenne locale du SRPJ dans un commissariat de sécurité urbaine. Ils sont six officiers de police judiciaire. Tout le monde est présent.

Mangin discourt.

— Les gars, on se met au boulot. On a sans doute affaire à un assassin en série, violeur, malade, et peu d'indices. Le juge nous fait confiance. On va se répartir le boulot sur le cas de Sabine Kerloch !

Il étale sur la table le contenu d'un sac à main.

Il précise.

— Le sac a été retrouvé par hasard, ce matin, dans le parc, près du centre culturel. Voilà nos premières pistes. Le trousseau de clés et l'adresse. Qui prend l'appartement ?

Deux mains se lèvent. Celles de Ledoux et de Chapot.

— Parfait ! Vous appelez tout de suite les gars de l'identité judiciaire pour les empreintes. Vous faites également l'enquête de voisinage. Ensuite nous avons l'adresse de l'employeur. Un cabinet médical. Des kinés. Qui veut s'en charger ?

Audiard et Boltansky font un signe de la tête.

Il s'adresse au dernier OPJ, Krief.

— Nous deux, on va au centre culturel. Il y avait dans le sac un billet pour une représentation de théâtre. J'espère que tu aimes Brecht.

LE HÉROS

Le chef Joncart n'est pas là. Marianne garde la boutique. J'entre.

— Salut ma belle !
Marianne est surprise.
— Qu'est-ce que tu fais là ?
— Rien. Des vérifications. Y a que toi dans cette caserne ?
— Oui ! Ils sont en patrouille. Les nouvelles dispositions !
— Je vois. J'en ai pas pour longtemps. Tu as du café ?
— Un peu. Je t'en sers une tasse ?
— Avec plaisir.
— Au fait, le commandant Mangin te cherche. Il y a un problème à propos d'une maison incendiée. Il a appelé tout à l'heure.
— Je crois savoir pourquoi. Merci !
Je m'installe. J'interroge le minitel du poste. J'obtiens en quelques minutes la liste de toutes les pharmacies de Marne-la-Vallée et des alentours. Je les note avec soin. J'attrape un plan de la ville. Je reporte dessus chacune des adresses à l'aide d'un feutre rouge.
Pendant ce temps, un barbu est entré dans le poste, un sac de toile à la main.
La voix lourde, enrouée de glaire, il crache.
— J' veux causer au commissaire !
Marianne répond.
— C'est impossible !
Il continue en se raclant la gorge.
— Où il est le commissaire ?
Marianne explique.
— Il n'y a pas de commissaire ici !
— Qu'est-ce tu racontes ? Y a écrit police sur le devant !
— Police municipale. C'est différent !
Je m'approche.
Marianne m'interroge du regard.
Je réponds.
— Tu le mets dehors. Y en a marre des poivrots !

— J' suis pas poivrot, j' suis victime !
— Victime ? Quel genre de victime ?
— J' suis victime de férocités quotidiennes de la part de Cécilia, ma femme !
Il nous montre une plaie ouverte qu'il a sur le dessus du crâne.
Je me moque.
— C'est férocement grave, comme blessure. Approche un peu !
L'homme s'approche.
Marianne rit.
L'homme reprend.
— Vous voyez monsieur le commissaire, Cécilia, elle m'a tapé dessus avec une casserole !
— Et toi, c'est quoi ton nom ?
— Jeannot !
Je sors la trousse d'urgence. Je mets du mercurochrome sur un morceau de coton. Je l'applique sur la blessure.
Le barbu souffre.
— Aïe ! C'est piquant.
— Allons ! T'es un grand garçon !
— Faut m'écouter, monsieur le commissaire. J' veux porter plainte. Faut m'écouter !
— C'est toi qui vas m'écouter ! Tu vas faire un tour et d'ici une heure ou deux, tu retournes chez toi et tu fais tes excuses à ta femme. T'as bien compris ?
L'homme accuse le coup. L'ordonnance ne lui convient pas.
— Je peux pas porter plainte, plutôt ?
— Non, tu peux pas porter plainte, ou alors je m'occupe sérieusement de toi, et t'auras de bonnes raisons de porter plainte !

— Alors, j' peux porter plainte contre le type qui m'a marché dessus l'autre nuit.

— Qu'est-ce que tu racontes ?

— J'étais tranquille dans un coin. Et on m'a marché dessus. En pleine nuit.

— J'ai compris. Tu t'étais engnôlé la gueule, on t'a bousculé, t'as fini sur le trottoir, et on s'est foutu de toi.

— Non ! Pas du tout !

— C'est bon ! C'est bon ! Maintenant tu dégages !

Il s'étonne de ma réaction.

— Euh ! Oui ! Bien, monsieur le commissaire !

Le barbu piteux, en maugréant, s'éloigne.

— Y a pas d'justice dans c' pays. Y a personne qui m'écoute !

Il se dirige vers le bistrot.

J'explique à Marianne.

— Rassure-toi, il reviendra d'ici deux ou trois mois. Ou bien ce sera sa femme. Bon ! Maintenant, faut que je file.

— Tu fais pas une connerie ? T'as l'air bizarre. Tu es sale, tu pues, tu fais peur.

Je la regarde au fond des yeux. Elle a compris !

Je pose un billet de cinquante francs sur le bureau.

Je précise.

— Tu diras à Willy que j'ai payé mes dettes. Je ne veux pas être redevable.

Je sors.

J'arrive à l'hôpital. Le hall froid me glace. Mes yeux me piquent. Je demande la chambre de la jeune fille accidentée. On m'explique qu'elle est en réanimation. Qu'elle s'appelle Aurore. Que je ne pourrai pas la voir. Et d'abord, qui suis-je ?

Je réponds.

— Personne !

Facile.

Je fais semblant de sortir. Je profite de l'inattention de l'hôtesse d'accueil pour me glisser dans les couloirs. Je cherche le service de réanimation. Je suis perdu. Tout se ressemble. Tout s'efface dans mon regard. Une femme de ménage est là, à s'user les mains sur un sol déjà propre.

Elle répond sans lever les yeux de sa serpillière.

— Au fond, à gauche.

J'arrive.

Elle est là. Allongée. Des tuyaux, des sondes plein le corps. Je remarque le respirateur artificiel, l'écran vidéo qui indique que le cœur bat toujours. C'est déjà ça !

Bruits de machine silencieux.

Je ne peux détacher mon regard de ce corps inerte. Il ne se meut plus qu'au rythme lent des respirations automatisées.

Une infirmière arrive sans que je l'entende.

— Qu'est-ce que vous faites là ?

— Je viens juste voir… C'est moi qui…

— Vous êtes le responsable de l'accident.

— De l'accident !... Non !... Enfin, oui. De son état, plutôt !

— Je comprends.

— Quelles sont ses chances ?

— On ne peut rien dire. Elle est dans le coma. Les organes vitaux ne sont pas trop touchés. Vous ne devez pas rester ici.

Je la remercie. Je quitte l'hôpital.

Je rejoins ma voiture, la gueule défaite.

*

Je constate.

Il y a seize pharmacies sur ma liste.

Une à une, je fais la visite des officines en demandant une boîte d'aspirine. L'odeur aseptisée, les files d'attente commencent à me monter à la tête. La fatigue aussi. J'en ai déjà contrôlé sept. Ces boutiques maffieuses se ressemblent toutes.

Alors je l'aperçois.

J'en reste presque paralysé. Le portrait est assez fidèle. Il y a bien la rondeur du visage, la calvitie avancée. Je m'approche péniblement. C'est mon tour.

Le pharmacien me parle.

Je suis comme sourd, aveugle, muet.

Il répète.

— Bonjour !

Enfin je réagis.

— Je voudrais une boîte…

— Oui !

— D'aspirine.

— En cachet ou effervescente ?

— En… cachet.

— Pour adulte ?

— Oui !

Je lis attentivement son nom sur sa blouse. *Lucien Cauvin, Pharmacien.* Je paie en tremblant quand sa main effleure la mienne. Le pharmacien me dévisage. Et réciproquement.

Je fuis.

LE CHŒUR

Mangin. C'est l'heure de la synthèse. Il mâchonne un sandwich. C'est sa soirée de permanence.

— Je vous écoute !

Ledoux raconte l'appartement, les voisins de la petite Sabine Kerloch. Un grand studio pour une petite vie. Rien à signaler. Pas d'agenda. Juste un calendrier où étaient griffonnés quelques rendez-vous culturels.

Les autres OPJ n'ont rien de précis à signaler. L'employeur est sous le choc. Il passera demain. Mangin a téléphoné aux parents. En Bretagne. Eux aussi débarquent demain. Quant au théâtre, elle y est venue seule. Grâce aux réservations, on sait qu'elle était assise entre un couple de retraités et deux adolescentes. Ils se souviennent tous de cette jeune femme qui n'a pas applaudi à la fin du spectacle. Point final.

— Quoi d'autre ?

C'est Ledoux qui parle à nouveau.

— L'incendie chez la première victime. Le procureur Lambert a téléphoné pour savoir où nous en étions.

Mangin répond.

— Au point mort. Mais j'ai mon idée. Faut d'ailleurs que j'appelle quelqu'un. Bien ! Vous pouvez rentrer. Si j'ai besoin d'aide, je prendrai des types du commissariat.

LE HÉROS

Je rentre chez moi, tétanisé par ma découverte. Le chien Médor m'observe. Il est inquiet. J'avale une double dose de vieux malt. Je respire. Je me calme. Je consulte mon annuaire. Que faire ? Il n'y a qu'un seul Lucien Cauvin. Me venger ? Il demeure dans un quartier résidentiel. Prévenir Mangin ? Ce ne peut être que lui. Je suis abattu. Mon esprit chancelle. Je me dirige vers la pièce de l'appart qui me sert de débarras. Celle qui aurait dû être une chambre d'enfant.

J'ouvre une malle métallique. Je sors avec précaution un fusil entouré de tissu. Le fusil de chasse de mon père. Je ne m'en suis jamais servi. La chasse, je déteste ! Et le chien Médor doit être un piètre chien d'arrêt. Je retourne à la cuisine. Je nettoie, je graisse l'arme. Soigneusement. Le chien Médor m'observe encore. Sans bouger.

Je l'interroge.

— Ai-je raison de faire ça ?

Le chien Médor reste silencieux.

J'ajoute.

— Tu ne m'aides pas. Mais t'as pas tort. C'est mon problème !

Le téléphone sonne plusieurs fois. Je laisse faire.

J'avale un litre de café. Je cache mon fusil dans un sac de cuir. Je glisse une poignée de cartouches dans la poche de mon blouson. J'attrape un couteau Laguiole du tiroir de la cuisine. Et je sors en vitesse, laissant le chien Médor seul avec son ombre et ses croquettes.

Je prends ma voiture. Je fonce directement chez Cauvin. Le soir est tombé. Marne-la-Vallée, gueule ouverte, s'est ornée de noir et de confuses paroles. La lune, de honte, s'est absentée.

Il n'y a aucune lumière dans le pavillon de standing. Deux étages, un jardin, quelques silhouettes d'arbres. J'attends sur le trottoir opposé.

Un type passe en titubant près de ma voiture. Il ne peut se retenir d'une gerbe de gros rouge, cuvée du patron, sur mon pare-chocs.

Je gueule.

— Enculé !

Il ne réagit pas. Il repart en crachant à terre le goût, l'odeur, de sa bouche édentée. Je le regarde, dans le rétroviseur, s'éloigner. Avec sa barbe folle et son sac de toile usée, ce gars-là me rappelle quelqu'un. Jeannot le poivrot.

Mais j'ai la tête ailleurs.

LE CORYPHÉE

L'attente forcée augmente l'intensité de la haine. Il a chaud. Il transpire. Il a froid. Il grelotte. L'idée de se retrouver en face du bourreau de Christiane le perturbe. Que faire d'autre sinon le faire souffrir, le détruire ?

Max a choisi.

Tu es sûr de toi, Max ? Est-ce ainsi que ce type doit payer la vie volée de Christiane ? Il l'a sans doute mérité et il faut un peu de justice. Mais toi, ne parle pas de justice. Car c'est ta vie de merde que tu veux lui faire payer. Pour continuer d'exister. Parle plutôt d'un sacrifice sanglant. Sur l'autel abandonné d'un ancien dieu païen. Tu hésites encore ? N'hésite pas ! Si ça peut te redonner le goût du soleil qui se lève, l'odeur des oiseaux dans le ciel, la couleur des fruits qu'on dévore. La vie d'un inconnu ne vaut pas grand-chose !

LE HÉROS

À vingt-trois heures une Volvo sombre se gare devant le pavillon. Cauvin en sort. J'ouvre la portière. Je me précipite, le fusil à la main.

Vengeance !

— Que se passe-t-il ?

— Tu fermes ta gueule, tu avances et tu ouvres la porte de ta baraque !

Affolé, Cauvin s'exécute en voyant l'arme.

— Qui êtes-vous ?

— L'ange de Dieu. Je viens pour punir ceux qui ont péché.

— Quoi ? Quel ange ? Qu'est-ce que vous voulez ?

Je le presse. Il lâche ses clés. Il les ramasse. Je lui envoie un coup de crosse dans les côtes. Il grimace de douleur.

J'ordonne.

— Ouvre vite, et entre !

La porte s'ouvre.

Je le pousse violemment dans le couloir. Il manque de trébucher.

— Allons dans le salon.

Celui-ci est vaste et richement décoré de vases, de statuettes en terre cuite. Lucien Cauvin est un connaisseur.

Je fais.

— Ça rapporte la pharmacie !

J'aperçois une statuette japonaise de style jômon.

J'ajoute haineusement.

— Et en plus tu trafiques les antiquités. Tu aggraves ton cas.

— Qui êtes-vous ? Que voulez-vous ?

— Je suis l'ange de Dieu. T'as pas compris ? Je vais te punir. Tu es coupable du viol et du meurtre de Christiane Vaillant. Je prononce sur-le-champ la sentence. Je vais te châtrer et te tuer. Œil pour œil !

— Quoi ? Qu'est-ce que c'est ? Je la connais pas votre Christiane.

— C'est la femme que tu as levée au Paradise. Une belle femme. Brune, grande, élégante. T'étais excité comme un âne. Vous êtes allés chez elle. Vous avez bu un dernier verre. Peut-être que tu l'as embrassée. Et puis elle n'a plus voulu de toi. Avec ta gueule, faut la comprendre. Alors ça t'a énervé. Tu l'as attrapée, tu l'as frappée, tu l'as violée, tu l'as tuée. C'est ça ? Raconte-moi les autres détails.

Cauvin est livide. Il tremble.

Je doute un instant de moi. Je me saigne les lèvres. Un goût d'hiver me gagne la bouche.

Il implore.

— C'est pas moi... j'ai pas... j'ai rien...

Je donne de la voix.

— Assez ! Pas de défense. T'as deux minutes pour faire une prière à qui tu veux, après je t'opère à bite ouverte.

Je sors le couteau de ma poche.

— Vous... n'allez pas faire ça ?

— Je vais me gêner.

Cauvin est abasourdi.

— Pour... quoi ?

— Plus de questions ! Allez, enlève ton pantalon !

— Et... si je refuse ?

Je vise. Je tire un coup de fusil dans la jambe de l'homme. Il s'effondre en criant. Une plainte longue, soutenue.

Je lui précise.

— Si tu refuses, je te saigne. Morceau par morceau. Tu verras ce que c'est que de perdre la vie. Tu t'en rendras compte, avec lenteur.

Cauvin se tient la jambe. À genoux, il semble pareil à une larve d'insecte. Il rampe lamentablement. Pour survivre. À ce moment il doit penser qu'on meurt toujours trop jeune.

Il se reprend.

— Vous êtes complètement malade !

— C'est possible ! Maintenant, tu te mets à poil.

Cauvin me regarde. Puis il craque. Il tombe en larmes.

— C'est pas possible. J'ai rien fait… J'ai rien fait… Je vous jure…

— C'est trop tard.

— Je peux… je peux vous donner de l'argent.

Je souligne.

— Ça me désole que tu penses ça de moi. Ne perdons plus de temps. Enlève vite tes fringues !

Je l'observe avec mépris. Cauvin commence à retirer maladroitement son pantalon. Ce n'est plus qu'un sanglot. Du sang de sa blessure s'étend sur le parquet. Une odeur envahit la pièce. Son sphincter a lâché et la merde accumulée durant toute une vie s'est répandue.

Ça pue.

— Pardon !

— C'est pas moi qui pardonne. C'est là-haut. Mais toi, t'as pas grand-chose à espérer. Je m'avance vers ma proie, mon Laguiole d'une main, mon fusil de l'autre.

Lucien Cauvin, quarante et un ans, condamné à mort, hurle en tentant de reculer.

— Non ! Non ! Pitié ! Ne me tuez pas !

Je le fixe. Mes mains transpirent. Le temps s'arrête.

Alors, sans que j'y prenne garde, comme mû par un élan de désespoir infini, Cauvin se jette sur moi, les yeux injectés de sang. Il m'attrape le bras droit, celui qui tient le couteau. Sa force me surprend. Je résiste. Mon fusil est devenu inutile. Il me comprime le bras, m'attrape l'épaule, tente de me mordre au poignet.

J'essaie de me défaire. Il est plus fort que moi. Sous la pression je me relâche. Il attrape le couteau de sa main gauche. J'hésite. Il souffle. Il bave. Il tente de me piquer. Le couteau m'atteint la joue. Je sens la lame me griffer le visage. La douleur vive décuple mon adrénaline. En poussant un cri rauque je repousse Cauvin. Il s'emmêle dans ses vêtements et tombe à la renverse.

Du sang goutte sur mon blouson. Cauvin a baissé les yeux en signe d'abandon. Il n'est plus rien. Je le vise à nouveau. Mes mains tremblent. Je ferme les yeux pour appuyer sur la détente.

Blam !

La porte d'entrée s'ouvre d'un coup.

Mangin et deux policiers en uniforme viennent de pénétrer dans le pavillon.

Mangin ordonne.

— Personne ne bouge !

Lucien Cauvin crie.

— Sauvez-moi ! Sauvez-moi !

Je lui vise toujours la tête avec mon fusil. Les deux policiers sortent leurs armes.

Mangin me lance.

— Ne faites pas de connerie, Ripolini.

Je le regarde. Le temps d'une éternité silencieuse.

Mon esprit s'est vidé. Quels événements m'ont amené jusqu'ici ? Des fragments de désespoir mal agencés.

Sans le vouloir, je baisse mon fusil. Je recule. Les deux policiers avancent avec précaution. Ils relèvent, retiennent le blessé, tandis que je m'assois.

Cauvin se plaint.

— Il est malade ce gars, il a voulu me couper les couilles !

Mangin conseille.

— Parle pas trop !

Il insiste.

— Je vous jure, il a voulu me couper les couilles !

Mangin lui lance.

— À sa place, moi, je l'aurais fait !

— Quoi ?

— Maintenant tu fermes ta gueule. Embarquez-moi ça. Attention, il a lâché sa merde !

Les deux policiers quittent la maison avec Lucien Cauvin suspendu par les aisselles.

Je me suis assis dans le canapé. Je tiens encore mon fusil.

Je demande.

— Comment avez-vous su ?

— Je suis passé chez vous. Vous n'aviez pas fermé à clé. Votre chien a parlé.

— On ne peut faire confiance à personne.

— Il m'a montré la liste des pharmacies, l'annuaire.

Silence.

Il ajoute.

— On est arrivés à temps !

— Faut croire !

— Pour l'incendie, c'était trop tard. La maison est en cendres.

— Ah !

— J'ai cherché à vous joindre.

— J'étais pas au courant.

— Il a commis un second meurtre. Une jeune femme. On l'a retrouvée ce matin dans un bois.

— Et pour la petite Aurore ?

— Les parents n'ont pas porté plainte. Les témoins vous sont favorables. Elle courait, un camion vous bouchait la vue.

Je ne dis rien.

Mangin propose.

— Il faut vous faire soigner le visage. Venez ! Et après je vous paye un coup !

J'y pense seulement. La blessure. Le sang. Un premier avertissement.

LE CHŒUR

Il a fallu trois jours au laboratoire de la police scientifique pour affirmer avec certitude que la même personne avait violé et assassiné Christiane Vaillant et Sabine Kerloch.

LE HÉROS

Le téléphone sonne.

Je décroche. Ma joue me fait mal. Douze points de suture.

— Allô !

— Ici Mangin.

— Oui !

— J'ai un problème.

— J'écoute.

— C'est bien le même assassin.

— Parfait !

— Mais ce n'est pas Cauvin.

Je m'étrangle.

— Quoi ?

— Vous m'avez bien entendu. Ce n'est pas Cauvin l'assassin !

Silence de mort. Je ne dis plus rien. Mon cœur s'emballe. Je tremble.

Je demande en bafouillant.

— C'est... c'est certain ?

— Cent pour cent. Le juge d'instruction l'a relâché ce matin. On est dans la merde. Il n'est pas content !

Je raccroche sans rien dire.

Je me consume de l'intérieur. Un brouillard livide me gagne l'esprit. Je ne suis plus qu'un songe de moi-même.

LE CORYPHÉE

Le dimanche suivant, Marne-la-Vallée fête dignement Monsieur Carnaval. Un ciel clair a daigné se lever. La mairie a bien fait les choses. Les rues sont parées de drapeaux. Des fanfares confuses cacophonent en canon. Des poneys asthmatiques tirent en soufflant des charrettes d'enfants sages. Des associations culturelles avancent en colonnes, souriant par-ci, chantant par-là. Le maire parade en costume d'*imperator*, suivi par un sénat sénile de conseillers municipaux. Partout des sifflets, des cymbales, des fanions, des flonflons, des costumes, des couacs, des lumières.

Pendant ce temps, Max Ripolini cherche, sans y parvenir, le sommeil.

STASIMON

Le chant de Dionysos

Zeus était plein d'ardeur, Zeus.
Il eut pour fils Dionysos,
qui était cornu, qui était cornu, et qui avait pour mère Sémélé.
Sur l'ordre d'Héra, jalouse, les Titans s'emparèrent de lui.
Il fut tué, démembré, mangé par ses ennemis, puis ressuscité par son père.
Quand il remonta des enfers, au renouveau, son ivresse de vivre se libéra en une frénésie, frénésie, frénésie.
Il parcourut le monde, vit mille et mille choses, fit mille et mille orgies.
Son culte sauvage perpétua des rites immémoriaux.
Les fidèles absorbaient la chair et le sang de leur dieu.
La victime immolée fut dans la suite remplacée par un bouc emblématique.
C'est en imitant les rites que naquit la tragédie, que naquit la tragédie.

DIÉGÉSIS ET MIMÉSIS

LE CHŒUR

Le temps, temps infini, temps passé, temps composé des rythmes lents de sa vie quotidienne.

Ce soir, il transpire. Il n'en peut plus. Son esprit, sa gorge martèlent des sons sinistres. Il se lève de son lit, sort de sa chambre, se précipite dans le grand bureau. Il en était sûr. *Elle* est là. Elles sont toutes là. Pas une ne manque. Elles sourient comme des anges.

Il rugit, rugit de haine.

— Vous ne pouvez plus me regarder ! Vous ne pouvez plus !

Mais les sourires demeurent. Implacablement.

Il crache.

— Je ne supporte plus ! Qu'on m'observe ! Qu'on me juge !

Il exhale. Ses yeux se perdent. Il cherche. Il attrape un couteau. Un grand couteau de cuisine. Et il commence son œuvre. Il lacère. Il griffe. Il déchire. Aveuglément. Une frénésie barbare le gagne. Tel un dément. Tel un démon. Il détruit tous ces visages. Un à un. Des coups désorganisés. Portés au hasard. Il pousse des soupirs rauques. Puis il se calme. La crise passe. Il s'effondre sur le sol froid. Il sait, il sent qu'il doit *La* trouver, *La* retrouver. Mais cette fois il pourra peut-être résister.

LE CORYPHÉE

Max, lamentable, se jette sur son canapé, un verre de vieux malt à la main. Nu. Sale. Ébouriffé. Il manque de tenue. Des yeux sombres, creux, une cicatrice sur la joue, un visage sec, c'est un homme usé, miné, rongé par une journée d'inaction, longue, pénible. Il observe l'invisible. Le regard fixe. Il constate que sa vie n'est que langueur, lieu vague, fleuve d'ennui. Il a raison. Il traîne son corps fatigué. Il ne dort plus vraiment. Il se perd. Car les morts viennent sans cesse hanter le sommeil des vivants. La mort des autres déclenche toujours comme une marée profonde de désordre qui remonte des entrailles. Une justification du désespoir de la condition humaine. Pour Max, c'est comme un désir de ne plus être tout en voulant rester. Un état compliqué, difficile à vivre, à décrire, qui explique sa lente descente vers le néant.

Il ne dit rien. Il constate que sa vie est un fruit pourri qu'il avale de force. Il pourrait tout recracher, mais il a quand même faim. Une dépression s'annonce. Des vents lourds, froids, vont s'y engouffrer. Une tempête existentielle et terrible. Max résistera. Que faire d'autre ? La dépression est un état d'esprit. Une sorte de tragédie de l'insuffisance. Ce soir, la compagnie des hommes le dérange. Ordinairement, il se rend dans des bars d'alcooliques patentés où il s'ingurgite des cocktails, savants mélanges d'amertume et de whisky. Avec des compagnons, ivres comme lui de mauvais vins, de mauvaises amours, la salle se transforme en Babylone décadente, en bacchanale thébaine. Un festin de

Balthazar. Une orgie de Dionysos. On y gueule plus qu'on y parle. On y rit plus qu'on y pense. On y pleure plus qu'on y vit. Jusque tard dans la nuit. Tandis que le monde endormi attend sans impatience le jour suivant.

Bien sûr, le pharmacien a porté plainte contre lui. Pour tentative de meurtre, coups, blessures. Mais Mangin est intervenu et il est toujours en liberté. Il sait pourtant qu'il n'échappera pas à la sanction. Qu'il risque même la prison. Mais il n'en a que faire. Il ne pense pas à l'avenir. Pour lui, le temps s'est désagrégé.

La petite Aurore est toujours dans le coma. Parfois, Max va la voir. Il reste une heure, au moins, à la regarder inspirer, expirer, respirer. Un souffle d'espoir. Il apporte toujours, toujours, des fleurs.

LE HÉROS

Putain de néant !

Il a plu durant des jours, durant des nuits. Une forme singulière de déluge qui transforme Marne-la-Vallée en bourbier chaotique. Comme le signe d'un dérèglement du corps urbain. Tout s'échappe en lignes de fuite hasardeuses et telluriques.

De désolation, je me réfugie dans la musique. Puccini pénètre *largo* dans l'appartement. La *Tosca.* Sir Colin Davis maîtrise parfaitement le Covent Garden. Le chien Médor saute avec difficulté sur le canapé et vient poser sa tête sur ma cuisse. Trois mesures plus tard, le chien Médor ronfle. À contretemps.

Je goûte avec joie le chant déchirant du condamné.

E lucevan le stelle…

LE CORYPHÉE

Max est un héros triste dont la volonté s'enfuit chaque jour en effiloche. Les hommes pleurent si peu qu'ils doivent pleurer longtemps. Les femmes, c'est différent. Ça tombe en larmes, en flamme, et ça renaît.

LE HÉROS

Le téléphone sonne.

Je sursaute. Le chien Médor sursaute.

Je réponds.

— Oui !

Une voix. Celle de Serge.

— Ripo, faut que tu te pointes. Les Manouches sont de retour !

— Où ça ?

— Près de la zone industrielle. L'ancien parking. Joncart n'est pas là. Le maire veut qu'on s'active.

Je ne dis rien.

Serge insiste.

— Faut vraiment que tu viennes.

— Bon ! Je passe mon uniforme et j'arrive !

Je raccroche.

Le chien Médor m'observe. Il a compris. Je lui explique quand même.

— Mon garçon, faut que j'aille bosser. Je te laisse la musique ?

Le chien Médor fait un vague geste de la tête. Avant son heure, j'exécute Mario Cavaradossi. Le chien Médor fait partie de ceux qui préfèrent l'opéra allemand à l'opéra italien. Toujours il a trouvé Wagner fascinant.

Moi c'est différent. J'ai baigné dans le *bel canto* dès mon jeune âge.

Je me souviens. Mon père chantait sans cesse des airs fameux. Tout Verdi, tout Donizetti, tout Puccini. Il racontait avoir vu un jour Caruso dans un champ, chantant Canio dans *Pagliacci*. Jamais il n'a pu tolérer d'être contredit. Même si le ténor était mort depuis vingt ans déjà.

J'ajoute pour me faire pardonner.

— Je ne rentre pas tard. De toute façon, les Gitans, on ne peut pas les virer comme ça !

Je sors.

L'air est encore chargé d'humidité pesante.

Je traverse la ville en voiture.

J'arrive devant l'espèce de camp sans ordre que les gens du voyage viennent d'installer. Sur un parking désolé. Entre deux flaques d'eau croupie.

Le maire et une délégation du conseil municipal sont déjà là. Serge, Robert, ils sont à leurs côtés.

Je m'avance.

— Bonsoir, monsieur le maire !

Le maire, entre deux âges, joli port de tête, mâchoire carnassière, mi-social, mi-libéral, mi-honnête, mi-véreux. Il fait.

— Bonsoir, monsieur Ripolini ! Monsieur Joncart n'est pas là ?

— Non ! Il est en stage. La formation continue.

— Bien ! Vous voyez la situation ? Ces gens ! Ce bordel ! Qu'en pensez-vous ?

Je fais mine d'observer, d'analyser, de consulter mes collègues. Je connais déjà la réponse.

— C'est trop tard pour agir !

Masque sombre du maire.

Je poursuis.

— Classiquement, on fait faire un constat d'huissier, puis un PV par la police nationale. Ensuite, on demande une expulsion *manu militari* au préfet !

Le maire s'inquiète.

— Combien de temps ?

— Environ deux semaines. Dans le meilleur des cas !

— Tant que ça ?

— Hélas oui ! Mais on peut tenter de négocier.

— C'est-à-dire ?

— On s'arrange avec eux et ils partent au bout d'une semaine.

— Parfait ! Faites au mieux.

— Bien, monsieur le maire !

Je fais quelques pas. Les collègues me suivent. Nous pénétrons dans le camp formé d'une quinzaine de caravanes, où le premier linge sèche déjà, où quelques femmes silencieuses élaborent à la lumière d'une lampe à gaz des paniers d'osier, où des hommes impassibles sont assemblés en petits groupes. Ce ne sont pas les plus riches. Ils sont rares ceux qui vivent encore d'artisanat.

Nous avançons à pas mesurés. J'observe. Je suis déçu. J'aurais aimé plus de clameurs, de couleurs. Des feux de joie d'où s'envoleraient les plaintes des guitares. Des Gitanes lascives se déhanchant sous le regard fier, sombre, des hommes. Des lanceurs de sortilèges aux yeux de braise. Des voleurs de poules, d'enfants. Des cris, des passions, de la vie, des sons. Rien de tout ça !

LE CORYPHÉE

Tu fais le *gadjo* sentimental ? Reviens au monde. Même pour Lorca, le *Romancero gitano* n'est qu'une fable. Ici on ne voit qu'ordure, misère, errance, rejet. Des enfants illettrés, des femmes vendues à treize ans, violées, frappées, happées par des hommes sales, fainéants.

LE HÉROS

Tandis que nous marchons, des gamins crasseux nous suivent. Ils rigolent. Je me retourne. Je m'approche de l'un d'eux. Un blondinet à l'air mutin.

Je demande.

— Il est où le pasteur ?

— L'est pas encore là.

— Qui est arrivé alors ?

— Sais pas.

— Qui c'est le chef ?

— Toniù.

— Il est où Toniù ?

— Là-bas !

Il désigne un grand moustachu d'une quarantaine d'années qui domine quelques hommes.

Nous avançons vers lui, toujours suivis par les gamins.

Je me présente.

— Bonjour. Je suis Max Ripolini. Vous êtes Toniù ?

— Possible !

Il a un fort accent. Un Roumain peut-être. Sa figure scarifiée reste impassible.

Je poursuis.

— C'est vous le chef ?

— Ici, pas de chef. Je représente compagnons.

— Parfait ! Vous savez que vous êtes installés sur un terrain communal ?

— Non !

— Sachez que le stationnement y est interdit sans autorisation du maire.

— Pas savoir ! Il a qu'à donner autorisation, le maire.

— Je doute qu'il le fasse. Quand comptez-vous partir ?

— Ça dépend.

— Ça dépend de quoi ?

— De pluie, de vent, de soleil, de police.

— Vous savez comme moi que ça prendra dix jours.

— Plutôt quinze.

Toniù maîtrise son sujet.

Je propose.

— Et si nous faisions un marché !

Toniù me regarde fixement.

— J'écoute !

— Disons que nous ne vous faisons pas évacuer par la force et qu'en échange, vous vous engagez à partir dans une semaine sans dégrader les lieux.

— Pourquoi on ferait ça ?

— Pour entretenir de bonnes relations avec Marne-la-Vallée.

— Faut d'abord que Marne-la-Vallée entretient bonnes relations avec nous.

— C'est-à-dire ?

— Y a dix ans qu'on nous a promis stationnement. Rien est venu !

— C'était une promesse de l'ancien maire. Tout le monde était contre le projet. Et il s'est fait virer aux dernières élections.

— Et nouveau maire ?

— Il prendra pas de risque.

— Alors on verra pas stationnement ! Pourtant toute commune de plus de cinq mille habitants doit en construire. C'est loi de France !

— Vous n'avez qu'à écrire au maire.

— Sais pas écrire !

Silence.

Toniù consulte du regard ses compagnons et reprend.

— Vous avoir air sympathique !

— Sans doute ! Que décidez-vous ?

— Nous partirons dans une semaine. Mais à condition qu'on nous donne électricité.

J'hésite un court instant. Je m'engage.

— Je pense que ça peut se faire.

— Parfait, monsieur Max Ripolini !

Nous nous en retournons, toujours en compagnie des gamins. La représentation communale semble inquiète.

Le maire demande.

— Alors ?

Je le rassure.

— Ils sont d'accord pour rester une semaine si nous leur installons l'électricité.

— Vous pensez qu'ils sont sincères ?

— Certainement !

Le maire fait l'effort de réfléchir à la situation. Je sais très bien qu'il ne donnera son accord qu'après avoir consulté son directeur de cabinet. C'est un problème trop sensible. Surtout à moins de deux ans des élections.

Le maire conclut.

— Bien ! Merci ! Retournons chez nous.

J'insiste.

— Monsieur le Maire, Toniù, leur chef, il a l'air honnête.

— Je n'en doute pas !

Il marque un temps. Il me dévisage étrangement.

Je dois sentir l'alcool, la pourriture.

Il ajoute.

— Monsieur Ripolini ! Mes policiers municipaux n'ont-ils pas l'obligation de se raser quand ils travaillent ?

— Jamais pendant leurs jours de repos !

La foule des visiteurs de ce zoo humain, à laquelle se sont joints quelques habitants d'un quartier voisin, se disperse en marmonnant des propos réconfortants pour l'avenir de l'Intolérance.

Je ne retourne pas directement chez moi. Je veux tourner dans Marne-la-Vallée pour fuir, me laver le cerveau des miasmes projetés par le maire et ses séides.

LE CORYPHÉE

Marne-la-Vallée, c'est sa ville adoptive. Comme une seconde mère. Un mère qu'on déteste mais qu'on n'arrive pas à chasser de son esprit. Sept ans qu'il la parcourt dans tous les sens. Elle n'a aucun charme. Elle est même repoussante. Pleine d'odeurs, d'erreurs, de malheurs. Une ville anonyme pour des gens anonymes. Personne n'y connaît personne. On n'impose pas, on ne crée pas une vie sociale comme ça, par la simple volonté d'un énarque, d'un ministre. La construction a été trop rapide. Les gens ont débarqué de partout, sans que rien ne soit fait pour en faire des citoyens. Lentement la cité s'est détachée de ses habitants. Qu'ils se débrouillent !

Et puis il y a cette maladie qui s'est installée, qui ronge un peu plus chaque jour. Max le sait. Max le sent. On aura beau faire, elle ne se guérira pas comme ça. C'est comme une éruption maligne qui marque longuement le tissu urbain. Il faut en retrouver la source, l'origine, et tout purifier.

LE HÉROS

Je roule une bonne heure à bord de ma DS 21. Je passe plusieurs fois par les mêmes avenues, longues, larges, inhumaines, par les mêmes quartiers sombres. Le même modèle calqué à l'infini. Le Corbusier mal avalé, mal digéré, mal chié.

Je constate. Dans Marne-la-Vallée, cette terre d'exil, tout est calme. En apparence.

Je finis ma fuite au Paradise. Moussa m'accueille en me demandant des nouvelles de l'affaire. Je soupire. J'avale un-deux-trois whiskies. Secs et sans glace.

LE CHŒUR

Louise. Elle se précipite dans la chambre. Elle s'affole.

— Ne pleure pas ! Ne pleure pas !

Elle prend son bébé dans les bras et commence à le bercer tendrement en lui baisant les joues. Elle lui parle encore. Par souffles lents.

— Maman est là ! Ne pleure pas ! Maman est là !

Elle est plutôt fière de son enfant. C'est toujours comme ça avec un premier-né. Il est joli avec ses petites boucles brunes, ses grands yeux. Il faut dire que le père est parti quand il a appris qu'elle était enceinte. Il ne voulait pas assumer. Ni elle, ni l'enfant, ni la vie. Il voyage. Loin. On fait de sacrés transferts dans ces cas-là.

Elle continue de le bercer. Quand il se calme, elle le dépose dans son lit et retourne dans le salon achever son ouvrage. Elle fait une petite veste, en vert, en bleu, en tricot, avec soin. C'est pour quand il aura un an. Avec les enfants, il faut être prévoyant.

Après, elle se fait un repas. Elle a faim. Elle a toujours faim. Elle ne comprend pas pourquoi. Elle s'avale un large plat de nouilles. Rien d'autre. Il faut faire attention avec les dépenses. Elle vivote d'expédients.

Elle va jeter un dernier coup d'œil sur son bébé. Maintenant il dort profondément. Elle se dit que c'est des soucis les enfants. On ne s'en rend pas compte quand on les fait, mais c'est des soucis. Surtout quand on est seule à les élever et qu'on n'a pas beaucoup d'argent. Mais elle a beaucoup d'amour et ça compense bien.

LE CORYPHÉE

Regardez ! Il est deux heures du matin. Max ne dort toujours pas. Des pensées pesantes assaillent son esprit. Confuses. Sourdes. Il lit. Il avale. Des écrivains tristes et sombres. Il faut bien peupler la lande désolée de l'âme. Max s'use comme il peut. Il ne sombre jamais avant l'aube. Les cris nocturnes, perçants, de Christiane, l'empêchent de rêver.

Sans cesse il pense à l'affaire, son affaire. Autour du canapé, par terre, répandue, la copie du dossier fournie par Mangin, le nouveau portrait-robot fait par Moussa et les spécialistes de la PJ. La diffusion à la presse. Rien. L'aide de Mangin. Rien. Les autres meurtres, les autres viols.

Rien. Les indices, les listes, les noms, vérifiés un à un. Rien. Les bars, les cafés, les boîtes de nuit. Toujours rien. Rayonner, circuler, se projeter autour de Marne-la-Vallée. Rien. Pourtant, il veut savoir, comprendre, comme une démente obsession. Qui ? Pourquoi ? Même si Christiane n'est plus le personnage divin qu'il croyait. Même s'il s'est mis à la détester pour son éternelle absence. Ô, douloureuse douleur, maîtresse de son cœur.

Alors seulement, après s'être amoché l'esprit, il parviendra à s'endormir.

LE CHŒUR

La chute finale.

Pas un cri. Juste des bras qui s'affolent dans les airs. Juste un corps dans le vide. Un corps qui comprend que la mort arrive. Un corps qui s'écrase sur le bitume. Dans un grand craquement assourdi.

Finir mort avant d'avoir vécu. Pas le temps. Pas l'occasion. Il y a des vies qui n'ont pas eu le malheur de vivre.

Triste matinée.

Et déjà quelques curieux s'attroupent. Treize étages, c'est dur à souffrir.

Une Chinoise. L'année du Bœuf commence mal pour elle. Elle est jeune. Vingt ans peut-être. On a du mal à savoir. Sa tête est broyée par le choc. Les traits sont noyés dans le sang. La cervelle s'échappe par endroits. Elle est pieds nus.

Des femmes, des enfants, ils crient tous de dégoût. Un homme se précipite pour appeler des secours. Mais c'est trop tard. Le gardien de l'immeuble arrive. Il fait s'écarter le monde. Elle est vêtue d'une triste robe en toile imprimée. Ce n'est pas une fille de riche, celle-là. Une de ces filles qui se désœuvrent chaque jour avec l'argent des autres. On regarde. On observe. On cherche. On aperçoit la fenêtre.

Le gardien annonce.

— C'est mademoiselle Wan, du treizième étage.

Courte biographie posthume. Une page de garde et c'en est fini. On commence à se détourner. Le spectacle prend fin. Un filet de sang rejoint le caniveau. Grand guignol macabre. La police s'approche. Un fourgon, une voiture banalisée. Des uniformes bleus. On s'écarte. Le gardien raconte. On l'écoute. Il parle de suicide.

— Y a pas de doute. Elle vivait seule. Elle semblait toujours triste.

La police acquiesce. La foule acquiesce.

Rideau !

Pourtant, deux types sortent discrètement du hall. Deux Chinois dont un qui porte une balafre au front. Deux Chinois avec une morte sur l'inconscience.

LE HÉROS

On sonne chez moi.

Je reste sourd, mais le chien Médor se précipite.

Il aboie.

— Ouaf !

J'interviens. J'ordonne.

— Retourne dans la chambre et n'en bouge pas !

Je mime l'air sévère et la voix forte du maître. La queue basse, le chien Médor s'exécute. Il joue lui aussi son rôle dans ce grand théâtre de la vie quotidienne.

J'ouvre. Mon regard hagard, ma chevelure composite font peur à la paire de glands, bien lavés, bien coiffés, bien habillés, qui se tient sur le palier. Au garde-à-vous.

Je marmonne sans joie.

— Qu'est-ce ?

L'un d'eux prend la parole avec un fort accent américain.

— Nous avons un message important à vous délivrer.

— Un message ? De qui ?

L'autre continue avec le même accent.

— Un message de Dieu. Il vous envoie tout son amour !

J'émets un soupir sonore, profond. Mais le numéro des types est au point.

— Peut-être que vous ne croyez pas en *Lui* ? Mais *Lui* croit en vous.

Pause.

Je lis les noms sur les badges qu'ils arborent au veston : *Église de Jésus-Christ des Saints des derniers jours. Elder William. Elder Caleb*. Je suis tombé sur des mormons. Les ineptes adeptes de Salt Lake City.

J'explique.

— Désolé, les gars, je ne crois pas en vos saintes conneries.

Ils répondent en chœur.

— C'est nous qui sommes désolés pour vous, pour votre âme, pour votre salut. Mais ce n'est pas important. Dieu pense à vous tous les jours. Il sait que vous avez eu de graves soucis personnels, que vous êtes à la recherche d'une paix intérieure.

— Stop ! Dieu, si par malheur il existe, se moque de moi et tente de me nuire.

Les deux mormons sourient toujours. La dentition parfaitement éclatante. Les yeux dilatés par la béatitude.

Ils ajoutent à tour de rôle.

— Vos doutes nous intéressent !

— Nous sommes là pour en parler !

— Pouvons-nous vous montrer cet ouvrage !

— C'est la vie très sainte de Brigham Young, le fondateur de notre mouvement !

Je fais l'énervé.

— Non ! Vous ne pouvez rien me montrer. Vous pouvez juste foutre le camp, me laisser seul !

— La force, toujours la force !

— Hélas, nous regrettons pour vous.

— Au revoir monsieur !

Les deux mormons quittent la position. Je referme en claquant la porte. Un tas de sangsues assoiffées des pensées des autres. Cinq millénaires de civilisation pour en arriver là. Jamais le contrôle des esprits n'a été aussi florissant qu'en cette sinistre fin de siècle. Religions, sectes, pseudo-philosophies, télévisions. Rien ne manque à l'appel du grand décervelage.

Je me gratte le génitoire. J'ai faim, j'ai soif.

Je descends d'un pas soutenu à l'épicerie du coin, celle de Chang, le chien Médor dans les bras.

— Bonjour monsieur Ripolini !

— Bonjour Chang ! Comment ça va en Chine ?

Chang prend un air sombre.

Je m'attends à une révélation. Elle vient.

— Vous devez savoir, monsieur Ripolini, que je ne suis pas chinois.

— Ah ! Tu es quoi alors ?

— Je suis français comme vous.

La boutique est vide.

Chang prend un sac plastique, se retire dans l'arrière-boutique, revient quelques instants après.

— Voilà pour vous, monsieur Ripolini, du canard laqué. Et des nems pour votre petit chien. J'ai mis une paire de baguettes et trois bouteilles de bière dans le sac.

— Merci.

Je paye. Je quitte la boutique sous le regard fuyant de Chang.

Je fais faire au chien Médor une courte balade dans un vague bois, non loin de notre habitat.

L'atmosphère alourdie hésite entre précipitation et rétention. La lumière solaire pénètre laborieusement dans Marne-la-Vallée.

Nous croisons d'autres promeneurs de canidés. Le chien Médor fait un peu de conversation.

Nous mangeons, assis sur un banc. L'un avec les dents, l'autre avec les doigts. Enfin nous nous rendons, lestés de chinoiseries, à l'atelier, sur la péniche *La Bakounine.*

LE CORYPHÉE

Max, surtout depuis le meurtre de Christiane, passe toutes ses matinées sur la péniche. Il œuvre, peint, crée. Après seulement, il se rend au boulot. Il est rarement satisfait de ses productions. Il en balance la très grande majorité. Le plus important pour lui est d'être là et d'assouvir ce besoin insatiable d'agir sur la matière picturale. À défaut d'agir sur le monde. Il œuvre lentement. En contact étroit avec ses toiles.

Quand j'arrive, François est en plein travail. Il s'active entre un appareil photo et une jeune fille nue qui prend des poses suggestives.

Je salue. Je m'enquiers.

— Qu'est-ce que tu fabriques ?

— Je travaille. Une commande pour un site internet consacré au Body Art.

— Body Art, tu parles d'une connerie, Fuck Art, plutôt !

— Sans doute ! Mais c'est bien payé. T'es en forme ?

— Non !

Je m'installe. Le chien Médor va se coucher sur un vieux canapé.

La jeune fille vient me voir. Elle est vêtue d'un vague peignoir translucide et d'une vingtaine d'années.

En la détaillant, je demande.

— Vous avez fini de poser ?

— Non pas ! Le photographe change le décor.

Je prépare mes pinceaux. Elle m'observe. Je me sens obligé de converser.

— C'est bien payé de poser nue pour un photographe ?

— Faut pas se plaindre. C'est pour mes études. J'étudie le droit. Je veux être juge d'instruction.

— Drôle d'ambition ! Vous voulez mettre des gens en prison ?

— Oui ! Les hommes et les salauds.

Je m'esclaffe gravement.

— Pourquoi pas ! Et si on retrouve les photos, plus tard ?

— Je porterai plainte en disant qu'elles sont truquées.

— Vous avez pensé à tout. Il ne dit rien votre copain ?

— J'en ai pas. Je ne baise qu'avec des filles. Elles trouvent toutes mon corps sublime. Autant que cela me serve à quelque chose. Que des types se branlent en voyant mon cul ou mes seins, ça ne me pose aucun problème.

J'apprécie du regard les éléments évoqués.

Je propose.

— Vous voudriez poser pour moi après les photos ? Je vous préviens, c'est mal payé.

— Combien ?

— Rien !

Elle prend un temps. Son œil brille. Je sais qu'elle va accepter.

Elle fait.

— Ça dépend ! C'est quoi votre style de peinture ?

— On appelle ça de l'abstraction lyrique.

— Abstraction, je comprends, mais pourquoi lyrique ?

— Parce que c'est de la peinture qui chante sur la toile.

— Vous plaisantez ?

— Non ! L'idée, pour simplifier, c'est que les formes, les couleurs, les tons, se répondent en écho, en chœur, pour créer un espace visuel nouveau.

Le jeune fille doute et le montre par une grimace gracieuse.

Elle demande.

— Et ça se vend ?

— Je ne sais pas. Je n'ai jamais tenté de le faire.

François, qui s'approche, intervient.

— Bien sûr que ça se vend !

Je précise.

— François pense que tout se vend.

— J'ai raison. Chaque chose a sa valeur.

— C'est pas très libertaire comme état d'esprit.

— Au contraire. Je combats le système de l'intérieur. Mais je pense sincèrement que Max peut vendre ses toiles. Elles ont une réelle valeur artistique. Ça nous change de ces artistes minables qui ne savent même pas tenir un crayon et qui n'ont que le concept pour credo. Je lui ai déjà proposé une exposition avec moi. L'enfer de la ville. Il a refusé.

— Ça me rappelait trop le boulot.

— On y retourne, mademoiselle ?

— J'arrive. Mais faut faire vite. Je dois ensuite poser pour l'abstraction lyrique.

LE CHŒUR

Il regarde le mur du fond. Ses gestes, comme un rite, sont précis. Toujours les mêmes. Toujours dans le même ordre. Au moins, il ne pense à rien pendant ces instants.

Puis il rentre chez lui.

Il passe une nouvelle fois devant les visages déchirés. Le trouble habituel s'empare de lui. Il détourne son regard.

Il se sent mal. Son corps est comme léthargique. Mais son esprit demeure surexcité.

Il veut se coucher. Pour s'oublier. Il avale deux gélules pour dormir. Il sombre rapidement.

Il sue, rêve, gesticule dans ses draps.

Il s'éveille deux heures plus tard. Aussi fatigué. Il n'a rien oublié. Bien au contraire. Des créatures difformes, des visages impassibles sont venus troubler son repos. Il se lève. Vidé. Tendu. Il n'échappera pas à son malheur.

Il pense alors à la jeune femme, celle qu'il a rencontrée, dans la rue, avec un landau.

J'arrive au poste. J'ai une heure de retard. Marianne fait la gueule.

— T'aurais pu t'activer. J'ai faim.

— Mille pardons. Voilà pour toi !

Je lui tends une feuille de papier Canson 120 grammes.

Elle demande.

— Qu'est-ce que c'est ?

— Ton portrait !

Elle regarde, surprise.

Je l'ai assez bien rendue. On peut y reconnaître son visage, une partie de son âme. Un crayon sur papier rehaussé de fusain et d'ocre. Il s'en dégage un sentiment de douceur empreint de sérénité, renforcé par deux yeux profonds. Elle me regarde. Elle s'émeut presque.

J'en rajoute.

— Je l'ai fait tout à l'heure.

— Tu l'as fait comme ça, de mémoire, sans modèle ?

— Oui ! À force de te fréquenter, de t'observer, je connais tous les détails de ton visage.

Marianne s'empourpre. Elle me remercie.

— Tu es un ange. Mon mari va être jaloux.

— Je l'attends pour un duel sur le stade. Il choisira les armes !

Elle rit.

— Bon, j'y vais. Les gars du soir doivent arriver d'ici peu.

Elle s'en va.

Le chien Médor qui était resté à l'entrée du poste vient s'installer sur son coussin. Je prends position derrière le téléphone. Nous sommes maintenant seuls avec les vestiges du parfum de Marianne.

Dix minutes passent. L'équipe du soir n'est toujours pas là. J'observe la trotteuse de l'horloge. Je ferme les yeux. Je me mets à compter mentalement les secondes. Pour rien.

LE CORYPHÉE

Le temps n'existe pas. Ce ne sont que des espaces qui se suivent, comme les wagons d'un train. Le problème pour Max est de savoir qui conduit la locomotive. Personne. Un train fantôme.

LE HÉROS

Je me lève. Je m'avance. À travers la vitre, je fixe la petite place dénudée. Les arbres y sont morts depuis longtemps. La lèpre les a déjà rongés. Quelques personnes passent, des désœuvrés, des mal-œuvrés, qui se meuvent par instinct, entre des immeubles aux contours mal définis. Je contemple ce monde désolant, cet espace urbain fatigué, ce béton écru. On me regarde à peine. On s'est habitué à la présence des policiers municipaux.

Je me souviens. Les premiers mois de notre installation furent difficiles. Il y a sept ans. La vitre a été brisée plusieurs fois, des tags antiflics sont apparus. Maintenant ça se passe mieux. Non pas que la confiance existe, mais la défiance a disparu.

Pourtant, derrière ces murs, ces façades, malgré les mouvements, les cris, malgré les lumières qui le soir venu s'allument, s'éteignent, je sais que la vie s'en est allée. Des gens victimes de l'horreur économique gisent. Cachés du monde.

Le téléphone sonne. Je laisse faire. Ce n'est pas le moment de venir troubler mon inaction.

Trois minutes plus tard, il recommence. Cette fois je choisis de répondre.

— Police municipale de Marne-la-Vallée !

— Enfin ! C'est pas trop tôt !

C'est la voix de Mangin.

— Commandant ! Quel plaisir ! Quelles sont les nouvelles ?

— Aucune, Ripolini ! Aucune. Sauf une affaire qui me gêne et un problème à régler.

On se fait quelques politesses d'usage.

Mangin avoue.

— En fait, je voulais vous entendre. Je dois m'occuper de cette histoire des gens du voyage. Il faut que j'aille faire un rapport pour le préfet avant l'ordonnance d'expulsion. Qu'en pensez-vous ?

— L'expulsion ? Je ne comprends pas. J'étais l'autre soir dans la zone industrielle. J'ai négocié avec Toniù, leur chef. Ils partent dans moins d'une semaine, sans faire de dégâts.

— D'autres caravanes sont encore arrivées ce matin. Le maire et le commissaire ne veulent prendre aucun risque.

— Quelle bande d'enculés !

Mangin feint d'être choqué.

— C'est comme ça que vous parlez de nos supérieurs ?

— Je vais me gêner !

— Bon ! Je connais maintenant votre position. Je vous laisse. Passez me voir à l'occasion. On ira boire un coup.

Je lui demande au hasard des nouvelles de l'affaire.

— Aucune.

Je connaissais déjà la réponse.

Mangin raccroche.

Je souffle.

*

Georges, Willy, Serge, ils arrivent tranquillement. Une gaieté narquoise domine leurs visages.

Ils plaident en chœur.

— Désolé ! Y avait choucroute à la cantine. On en a repris trois fois !

Je menace.

— Vous en profitez parce que Joncart n'est pas là. Mais il revient après-demain de son stage. Alors vous ferez moins les malins.

Willy déclare.

— T'en fais pas Ripo ! Statistiquement, le mardi, c'est un jour creux. Et puis on te respecte beaucoup en tant que chef-adjoint.

Je riposte.

— Mon cul ! Maintenant au boulot.

Ils sortent travailler.

Je m'installe au bureau. Je note sur la main-courante les missions de mes collègues. Tournées, visites de sécurité pour les uns, rondes à pied pour les autres.

Je réponds à tous les appels. La mairie veut parler à Joncart. Un gamin a fait une fugue. Il y a une fuite d'eau dans un immeuble.

*

Serge, Robert, ils rentrent. Le planning ne nous impose rien. On décide d'abandonner quelques instants le poste pour le bistrot. Si le téléphone sonne, le chien Médor viendra nous prévenir.

André, le patron chauve, dense, du Cadran, maintient le seul commerce encore ouvert depuis que la boulangerie a fermé pour une question d'hygiène, que la supérette s'est fait voler tout son stock. André est un peu facho, mais il est moins con que la moyenne et il a de la Leffe à la pression. Alors il est encore supportable. On commande des bières.

André arrive avec les boissons. Il y a longtemps qu'il a licencié son serveur. Il avance. Sa démarche empruntée est pondérée par un gros corps entrelardé de mauvaise graisse.

— Messieurs, faudrait que je passe vous voir. J'ai quelques mots à vous dire !

On se regarde.

Serge répond.

— Quand tu voudras ! C'est ouvert du lundi au samedi, de sept heures à vingt heures.

André ne rigole pas.

— En attendant, ça fait trente-cinq francs. Sans le pourboire.

— Quel pourboire ? Déjà que la présence d'un bar à proximité d'un poste de police, c'est plutôt une incitation à la débauche, tu veux pas, en plus, qu'on te laisse toutes nos économies !

— Messieurs, je prends l'argent où il est.

— Ça ne te suffit plus de voler le RMI de tes clients ? Tu veux aussi notre solde ?

— Les temps sont durs pour tout le monde. Surtout ici !

On se moque de lui. Il repart chagriné, mais fier.

À dix-sept heures, je mets fin d'autorité à mon service.

— J'y vais. C'est le jour de l'atelier à la MJC. À demain pour la cérémonie.

— Salut !

Avec le chien Médor, nous nous rendons à pied à la Maison des Jeunes et de la Culture où depuis peu j'anime pour quelques gamins du quartier un atelier de dessin, de peinture.

Mademoiselle Loiseau, la directrice, lunettes, robe verte, nous accueille avec charme.

Elle constate.

— Vous êtes toujours au rendez-vous !

— Pourquoi cette remarque ?

— Je ne sais pas, j'ai toujours trouvé étrange qu'un policier s'investisse comme ça. Chaque fois, je pense que vous allez abandonner.

— Je n'abandonne jamais. Quoi que je fasse.

— Espérons-le ! Les gosses semblent vous apprécier.

— C'est possible ! En fait, j'investis pour le futur. Dans quelques années, ils auront le choix entre de vagues études, le chômage ou la délinquance. J'espère que ça les aidera à ne pas trop se tromper.

LE CORYPHÉE

Ne dis pas de conneries, Max ! Tu sais bien que tu fais ça pour ta gueule. Pour t'occuper l'esprit, le corps. Pour te sauver de la noyade.

LE HÉROS

Je quitte ma tenue de policier municipal pour une salopette tachée. Je pénètre dans la grande salle de la MJC.

Une dizaine de gamins de dix à quatorze ans m'attendent en braillant.

J'impose ma présence.

— Jeunes gens, bonjour !

Ils répondent en canon.

— Bonjour monsieur !

Je m'installe. On me regarde avec attention. J'ai l'habitude de commencer mes ateliers par l'étude d'un tableau de maître que je leur demande de commenter. Une découverte par soi-même. Je suis toujours surpris par les réponses que j'obtiens. Aujourd'hui c'est le *Guernica* de Picasso. Je ferme les rideaux. Je projette la diapo. Les gamins découvrent les formes, les couleurs, les convulsions de l'œuvre.

Je demande.

— Qu'en pensez-vous ?

Après quelques instants de doute, de silence, les gamins s'agitent, répondent en désordre.

— Ça va dans tous les sens…

— Ils ont mal…

— Les keums, ils sont cassés…

— C'est comme les films de guerre…

— Le cheval, il est zarbi…

— C'est tout gris…

— Je comprends pas…

— C'est beau…

— C'est pas beau…

Je tente une explication. La guerre d'Espagne, les symboles, la souffrance, la mort.

Silence troublé de doutes.

Les gamins m'observent, comme ébahis.

Jacky, un rouquin âgé de treize ans, intervient.

— À quoi ça sert de faire ça ?

Les autres rigolent.
Je réponds.
— Picasso utilise ses tableaux pour donner son opinion. Plutôt que de subir, il dit que l'artiste doit réagir, comme chacun d'entre nous. On doit pouvoir réagir quand il y a quelque chose d'important qui arrive.
Silence muet où seules les respirations résonnent.
J'informe.
— Maintenant nous allons passer à notre peinture.
Brouhaha.
Tables, chaises, papier, pinceaux, peinture, tout se met en place.
Je précise.
— On va un peu s'inspirer de Picasso. Vous allez faire un paysage en n'utilisant que des lignes droites. Attention ! Pensez à des arbres, des collines, des champs. Oubliez les tours, les immeubles. Des questions ?
— Ça ressemble à quoi des collines ?

LE CHŒUR

Mangin. Il examine à nouveau les effets personnels contenus dans la boîte en carton. Son bureau regorge temporairement de dossiers. Les archives de la section locale du SRPJ sont pleines. Il sert d'annexe, en attendant une hypothétique extension. Il se prend le visage entre les mains. Se frotte les yeux. Regarde un instant les portraits posés sur son bureau. Celui de sa femme. Celui de sa fille. Il avale une gorgée de bière. S'allume un cigare. Un slim panatella brun noir de Saint-Domingue. S'étire longuement. Et reprend son travail. Il ne trouve pas de pièce d'identité, ni de passeport, ni de carte de séjour. Il y a bien des quittances de loyer au nom de Lucy Wan. Et des feuilles de paye. Celles d'un magasin de bijoux, de verroteries à Belleville. *Le Lotus d'Or*. Rien d'autre sur son état civil. Quelques photos, quelques lettres. Elles lui ont été traduites. Des nouvelles de la famille. Mademoiselle Lucy Wan, si tel est son nom, est de Wenzhou. Comme beaucoup des Chinois de la diaspora. Depuis plus d'un siècle, Wenzhou et sa province, au sud de Shanghai, fournissent la majorité des Chinois de l'étranger. Il y a quelque chose qui ne va pas. Soit c'est une clandestine et, dans ce cas, pas question de louer un appartement à l'office HLM car il faut remplir un dossier. Soit elle ne l'est pas et, alors, ses papiers d'identité ont disparu. Ce détail va faire que le commandant Mangin, du fond de son bureau, va demander au procureur de nommer un juge d'instruction. Même si le légiste a conclu au décès par défenestration sans violence antérieure.

Le commandant Mangin prend le téléphone. Appelle sa femme pour dire qu'il rentrera un peu plus tard, et qu'il l'aime.

LE CORYPHÉE

L'appartement est froid. Max n'a pas le moral. Sa journée fut remplie d'activités, d'événements, mais le vide ne se comble jamais. Son corps tout entier réclame des nourritures indéfinissables. Il s'alanguit sur son lit.

Max me désole. Toute cette énergie mise au service du désœuvrement existentiel.

Trois heures durant, Max fixe le plafond de sa chambre. Il reste inerte tout en projetant des images mentales. Il se revoit quelques années plus tôt, quand il semblait heureux, quand vivre n'était pas un fardeau trop lourd, quand il croyait aimer Christiane.

Il se rend compte qu'il ne distingue plus les traits de son visage. Petit à petit, elle est devenue une métaphore, bientôt elle ne sera plus qu'une idée. Il pourra peut-être se consacrer à lui-même. Renoncer à l'autre est plus difficile que de renoncer à soi.

LE HÉROS

Je me lève. Je vais à la fenêtre. J'ouvre. L'air vif me fouette le sang.

La nuit est tombée depuis quelque temps déjà. L'obscurité est lézardée de lueurs citadines. Je lance au loin mon regard. Je tente de reconnaître les quartiers de Marne-la-Vallée à la seule vision des lumières qu'ils projettent. Le nouveau quartier des lacs avec ses immeubles déjà vieillis. Les anciens quartiers datant d'un temps où Marne-la-Vallée n'était qu'un ensemble lâche de villages, à peine reliés les uns aux autres. Les quartiers pavillonnaires, mal construits, mal finis, sur des terrains instables. Les quartiers économiques garnis d'entrepôts, de magasins d'usine. Les quartiers annexes qu'on a bourrés jusqu'à la gueule de HLM. Un ensemble confus, sans organisation, sans lien, sans vie. Seul, je distingue la masse noire qui se meut. La lèpre qui gagne la ville. Qui se goinfre des vies, des murs. Pourquoi suis-je seul à me rendre compte de cette gale prurigineuse ?

Chienne de ville qui étouffe sa portée de tout son poids.

Chienne de ville dont les mamelles asséchées ne nourrissent que les plus forts.

Une métropolis sombre, sordide, sans la poésie de Fritz Lang.

Mon regard s'y perd à la cherche, recherche, de quelqu'un. Toi ! Où es-tu ? Que fais-tu ? Donne-moi une chance de te trouver, de te saisir, de te broyer.

Je me dirige dans la pièce qui me sert de débarras. Je fouille dans un placard. J'en sors une bouteille de vieux malt. Je voudrais résister. Je l'observe longuement. Mon serpent intime me demande d'avoir confiance. Dans la vie, y a pas que des bons morceaux à manger. Un petit verre, ça ne peut qu'aider à digérer !

LE CORYPHÉE

Max ! Tu auras beau t'avaler des verres, des verres d'alcool, le ciel restera bas, les nuages resteront gris. Il n'y a pas de lumière de ce côté-ci de l'oubli.

LE CHŒUR

Louise. Elle sort de l'immeuble avec son landau. Un vieux landau qu'on lui a donné ou qu'elle a récupéré. Elle ne sait plus trop. Elle a pris l'habitude de faire une dernière promenade. Quand la nuit est tombée. Ce ne sont pas de longues promenades, mais elle a des théories définitives sur l'éducation des enfants. Il faut les aguerrir dès le bas-âge. Après, ils deviennent des jeunes gens vigoureux. C'est pourquoi, qu'il vente, qu'il fasse froid, elle sort son bébé à la nuit tombée. Pas longtemps. Juste histoire d'aller, de revenir. Souvent elle choisit le parc.

À cette heure, dans les rues, il n'y a plus que des voitures qui circulent. Et des voyous, comme ils disent à la télé. Mais elle n'a pas peur. On ne fera jamais rien à une maman. Surtout si elle est avec son bébé. On ne peut que l'admirer, son bébé, tellement il est mignon.

Elle arrive dans le parc. Un bac à sable malpropre entouré de bancs. Certains soirs il y a des jeunes qui traînent. Généralement ils partent quand elle arrive. Elle aurait aimé parler avec eux. Il n'y a personne à qui elle parle vraiment. Sauf peut-être cet homme qu'elle a rencontré. Un homme gentil, d'une quarantaine d'années. Il s'appelle Pierre. Il n'est pas très beau. Un peu dégarni. Mais il est gentil. Ils ont promis de se revoir.

Elle s'assoit. Contemple les étoiles. Parle un peu à son enfant et rentre chez elle.

LE HÉROS

Nous, policiers municipaux de Marne-la-Vallée, sommes au garde-à-vous devant le monument aux morts. C'est jour de paix, de mémoire. Aujourd'hui seulement. Un quarteron d'officiers, d'officiels, fait honneur à la Nation. Dans ce pays, les morts ont plus de valeur que les vivants. Surtout les morts de la guerre. Ceux qu'on a envoyés se faire trouer la peau. Au nom de la patrie, de la liberté, de l'égalité, de la fraternité. Une mascarade. Les laids deviennent beaux. Les idiots deviennent de grands esprits. La boucherie organisée gomme tous les défauts.

Il y a le discours convenu du maire qui évoque la souffrance, l'abnégation, le discours ringard de l'ancien combattant qui rappelle en bredouillant le sacrifice de ses camarades, en regrettant lui-même de n'avoir que torturé des fellaghas algériens. Il y a la remise des médailles aux petits vieux qui n'en finissent pas de trembloter. Chaque année on en retrouve. Toujours les anciens combattants reviennent quémander les ornements que la République distribue comme des bonbons. Il y a le vin d'honneur. Honneur aux vaincus, à ceux qui ne sont plus là pour boire du vin.

Après on rentre. Fier de soi. Sauf moi que ces cérémoniels macabres, réactionnaires, révulsent. *Dies irae*. Jour de colère.

LE CHŒUR

Il tourne. Rue par rue. Tout est fermé. Jour férié, jour d'angoisse. Personne. *Elle* n'est pas là. Où peut-*Elle* se cacher ? Il tourne encore. Il arrive devant le Paradise. C'est le seul lieu ouvert. Peut-être est-*Elle* là. Encore une fois. Il entre. Il aperçoit le serveur. Le Noir. Il se retourne. Non ! Non ! Il ne peut pas faire ça. On pourrait le reconnaître. Il part. Il ne sait pas pour où.

LE HÉROS

J'ai accepté de remplacer Marianne qui doit conduire son gosse à l'hôpital pour une opération des amygdales. Je suis du matin. J'ai peu dormi. Le décalage. Heureusement, à cette heure, il n'y a pas grand-chose à faire. Les patrouilles tournent. Moi j'attends. Le chef Joncart n'est pas encore de retour.

Je sors pour respirer.

Je rentre.
J'attends.
Le téléphone ne sonne pas.
Je sors mon carnet de croquis. Je fais quelques études du *chien Médor endormi*. Des traits rapides au crayon.
La matinée passe. Comme elle peut. Avec peine.

*

Le chef Joncart arrive en début d'après-midi. Il rayonne. Son stage lui a été profitable. Je sens qu'il va nous emmerder pendant quelques jours avec de nouvelles consignes.
Je le mets au courant des derniers événements survenus à Marne-la-Vallée. Les Gitans, le reste.
Il file directement à la mairie.
Je reste seul. Je réponds à quatre appels téléphoniques.
Tout soupire. La routine fixe le temps. Ainsi ça bruite de tic-tac d'horloge, de grincements de chaises, de chuchotements du monde extérieur.
Je rentre chez moi vers seize heures. Un horaire inhabituel. Je lance *Le Crépuscule des Dieux* pour faire plaisir au chien Médor. Un Wagner pathétique porté par Karl Bœhm.

Brünnhilde, heilige Braut !
Wach auf...

Pendant que Siegfried agonise douloureusement, victime d'hommes jaloux de son innocence, je cherche quelque chose à faire pour m'occuper le corps, les mains, l'esprit.
D'un air entendu, mon Surmoi me propose.
— T'as qu'à te branler !
Mon Inconscient répond tristement.

— J'en ai plus l'envie !

Je trimballe lourdement ma carcasse d'une pièce à l'autre. Sans but. La bouteille de vieux malt est vide. Je finis par amerrir dans la salle de bains. Je contemple avec circonspection mon linge sale sous le regard curieux du chien Médor. Il renifle et compare mes vêtements à une ébauche de société désorganisée. Ça déborde, ça se répand, ça pue. Normal ! La machine à laver m'a lâché. Sans un bruit, sans un cri, elle a rendu l'âme.

C'est la fin du héros wagnérien. Je prends le sac de linge, le chien Médor, de la monnaie. Je me rends au Lav-O-matic du coin.

Il y a déjà du monde dans cette atmosphère laiteuse, humide, bruyante. Un clochard, ou presque. C'est Jeannot. Il ne me reconnaît pas. Il doit être saoul. Il n'en finit pas d'admirer son linge propre. Et une jeune femme qui me regarde avec étonnement.

Je salue de la tête. Le chien Médor salue de la truffe. Elle a le visage espiègle, la poitrine attrayante. Court vêtue, coiffée de brun, plutôt maigre, elle sourit en regardant le mâle actif que je suis. Je préfère les grandes femmes en tailleur noir. Comme Jorge Luis Borges. Mais celle-ci éveille mes sens.

Je prépare. Je lance la machine numéro quatre. Je m'assois sur une chaise branlante, le chien Médor à mes pieds.

La jeune fille sort son linge. Je lui jette un sourire vermeil. Elle transfère ses vêtements dans la sécheuse. À son tour elle me sourit. Elle s'approche en hésitant.

Elle me demande.

— Il est marrant votre chien. C'est quoi comme marque ?

— Je sais plus trop. Une sorte de mélange.

— Et la couleur ? N'est-elle pas un peu bizarre ?

— C’est aussi un mélange. J’ai fait une expérience génétique.

Le chien Médor comprend qu’on le moque. Il grogne mollement.

Elle ajoute.

— Et c’est quoi son petit nom ?

Je l’interroge.

— C’est quoi ton petit nom ?

— Ouaf !

— Il dit qu’il s’appelle Médor !

— Vous comprenez ce qu’il dit ?

— Bien sûr ! On vit ensemble depuis cinq ans.

Le chien Médor se déplace et s’approche de Jeannot. L’odeur sans doute. Je m’inquiète pour les puces.

Je continue.

— Ce n’est pas la première fois que je vous vois.

— C’est vrai. Nous nous sommes entraperçus au cimetière. Pour l’enterrement.

J’y suis. C’est la jeune journaliste du *Parisien*.

Elle ajoute.

— Je viens d’arriver à Marne-la-Vallée. Je suis nouvelle.

— Bienvenue ! J’y suis depuis sept ans. Mais on s’y fait.

— Bravo ! Moi, j’ai pas l’intention d’y faire de vieux os.

— C’est ce que je m’étais dit, à l’époque.

Elle me regarde à nouveau. Elle me dévisage.

— C’est nouveau cette cicatrice ?

— Oui ! Un mauvais souvenir.

Elle tente d’évoquer l’affaire. Je ne fais pas de commentaire.

Elle s’éloigne.

Attente.

Jeannot sort en chantant.

C'est aujourd'hui dimanche
Toi ma jolie maman...

La jeune journaliste me dit.

— J'ai fini ! À bientôt !

Je réponds.

— Oui ! À bientôt !

Elle sort sans mot dire.

Fin du cycle. Je place mon linge dans la sécheuse.

J'attends vingt bonnes minutes en méditant hypnotiquement sur mon linge qui tourne, tourne, tourne.

Puis ce dernier est sec.

Je quitte le Lav-O-matic tout émoustillé. La jeune fille, son corps, ses seins. J'ai comme une sérieuse envie de baiser. C'est bon signe ! Je rentre chez moi. Je prends une douche. Je m'habille de propre tout en grattant le ventre du chien Médor. Une chose est sûre, dans ce bas monde, on aime comme on gratte.

Puis je sors.

LE CHŒUR

Louise. Elle revient de sa promenade. Son bébé a sans doute pris un peu froid. Il tousse, tousse, par moments. Mais ça ne l'inquiète pas. Elle n'est pas comme ces jeunes mères qui s'angoissent à la moindre occasion. Lentement l'obscurité gagne Marne-la-Vallée. Elle s'apprête à rejoindre son immeuble quand elle croise un petit groupe. Ils sont trois. Une femme, une Gitane peut-être, et deux enfants vêtus de guenilles. Ils l'abordent. Ils ont un accent. Ils lui proposent des paniers, des objets en rotin. Elle regarde avec un semblant d'intérêt.

Elle s'excuse.

— Je n'ai pas les moyens ! C'est joli, mais je n'ai pas d'argent !

Comme elle esquisse un triste sourire, la Gitane comprend.

— C'est pas être grave, madame. Gardez argent pour votre bébé.

La Gitane cependant lui attrape la main. Elle tente de la retirer.

— N'ayez pas peur ! C'est lignes des mains. Je vais lire pour vous !

Elle se calme en jetant un coup d'œil sur le landau. Les deux enfants, un blondinet rieur, une fillette plus sombre, l'observent avec attention.

Elle avoue.

— Je ne crois pas à ces choses-là. C'est pas sérieux tout ça !

La Gitane reprend.

— Pas besoin de croire les choses qui sont vraies. Tenez ! Je vois pour vous une vie solitaire. C'est vrai ?

— Peut-être !

— Je vois... Oh ! Votre bébé !

— Quoi mon bébé ?

— Il va avoir accident !

Elle s'énerve.

— C'est pas possible !

— Mais pas grave. Une simple chute. Mais pour vous...

La Gitane marque un temps. Ses yeux s'affolent. Elle reprend.

— Non ! J'ai rien dit. C'est le destin.

Louise retire sa main d'un geste rapide, attrape son landau et commence à s'éloigner. Elle fulmine. Le landau grince un peu. La Gitane, les enfants, ils l'observent un instant et s'en retournent.

LE HÉROS

J'arrive chez Fatima.

— Max ! *Caro mío !* Enfin te voilà. Qu'est-ce qui t'amène ?

— L'appel du muezzin. Prière du soir, espoir !

Elle rit à pleine bouche.

— Ne fais pas le mécréant ! Viens au salon. Les filles sont occupées. Je peux t'offrir un verre ?

— Oui !

Je la regarde s'éloigner, presque en l'admirant. Elle revient.

Elle me sert un verre de whisky. Je sais que derrière cette apparence sereine, joyeuse, il n'y a que des regrets, des chagrins. Elle m'a conté, un soir où elle avait trop bu, les terrasses des maisons blanches où l'on s'enivre de soleil, de dattes fraîches, les nuits d'hiver où l'on se réchauffe d'amour, de thé. Je sais que le monde lui est devenu presque indifférent. Lointain. Son univers, c'est maintenant sa maison close.

J'aime ce lieu que la morale réprouve. Cette ambiance orientale, sonore, chaleureuse. Les chants plaintifs d'Oum Kalsoum, ou plus légers de Reinette l'Oranaise, de Lili Boniche. Mes gènes méditerranéens me remontent au cœur. J'entends comme le récit ancien de mes origines. *Ya habibi !* Ô mon amour !

Elle me dit.

— Demain j'organise une fête. Vas-tu venir ?

— Je ne sais pas. Peut-être.

J'avale mon verre sans penser à rien.

Fatima me secoue.

— Voilà Alexandra !

Une fille, grande, brune, sauvage, vient d'apparaître dans le salon. On entend le claquement de la porte que referme le client qui s'en va. Au rythme du *req,* de l'*oud.*

Je demande.

— Alexandra, c'est son vrai nom ?

— Tu plaisantes ! Elle s'appelle Aïcha. Mais Alexandra, pour nos clients, c'est tellement plus vendeur.

— Moi je préfère Aïcha !

— Pourquoi ?

— L'exotisme. L'Orient. Je ne sais pas.

— Tu es un peu tordu !

— Tu as raison.

Je vais à la rencontre d'Alexandra. On échange trois mots. Elle me conduit dans sa chambre.

Rideau !

LE CHŒUR

Il ne parvient pas à dormir. Il traverse, retraverse la grande pièce. Son corps est en feu. Son cœur lance à toute vitesse des litres de sang chaud qui le brûle, le consume de l'intérieur. Autour de lui, il y a tous ces visages. Une torture qu'il s'impose. Il pourrait s'en débarrasser. Mais une force supérieure l'en empêche.

Il va sous la douche. L'eau glaciale le calme un instant. Il se jette, encore mouillé sur son lit. *Elle !* Encore *Elle* ! Qui sans doute l'observe dans l'obscurité.

Bientôt, il agira ! Mais avant, il doit dormir, se reposer.

LE HÉROS

Il est quatorze heures à peine. André, le tenancier du Cadran, entre sans prévenir.

Il sue. Avec sa voix de goret hors de souffle, il fait.

— Salut la police démontée.

— Qu'est-ce qui t'arrive ?

— Je viens porter une pétition au nom de tous les commerçants du quartier.

Willy réplique.

— Tu sais bien que tu es le seul !

— Raison de plus. Cent pour cent des commerçants sont en accord avec moi-même.

— On t'écoute !

— Voilà ! C'est bien beau de faire les fonctionnaires à bord de vos voitures de course, mais moi je vous signale que ce quartier devient de plus en plus invivable depuis quelque temps. Surtout le soir ! Vous êtes myopes ou aveugles ou les deux à la fois ?

— Précise ta pensée.

— Voilà ! On est au bord d'une crise. Croyez-moi. Y a pas mieux qu'un bistrot pour sonder les gens.

— Les sondages d'alcooliques sont les meilleurs, c'est bien connu.

André fait la moue mais il poursuit son propos.

— Une question me taraude. Est-ce dans vos projets d'agir pour Marne-la-Vallée ?

— Non ! T'as d'autres questions ?

— Je ne plaisante pas.

— Nous non plus ! Après vingt heures, c'est la police nationale qui prend le relais.

— Sans doute, mais ils viennent jamais par ici.

— On en est bien conscients.

— Maintenant y a des groupes, des bandes, des clans, qui traînent le soir. C'est bien simple. Je baisse le rideau à vingt heures trente précises et je rentre chez moi. C'est sérieux ! Faut que vous fassiez quelque chose, que le maire fasse quelque chose, que le préfet fasse quelque chose, que le ministre fasse quelque chose.

— On leur dira.

— C'est ça ! C'est ça ! Je vous aurai prévenus.

André quitte le poste avec l'air déprimé, la démarche alourdie, du condamné.

Willy commente.

— Encore un commerçant qui se plaint !

La vue d'un boutiquier l'a toujours irrité. Pour lui, ces gens-là ne sont que plainte, aigreur, rancœur.

Je plaide.

— Faut le comprendre. C'est sa retraite qui fout le camp !

Je sais que le bistrotier a quand même un peu raison. Petit à petit, la police, l'État, ont déserté le quartier. Ils ne viennent plus que pour les problèmes les plus graves. Toujours trop tard. Il y a dix ans, c'était supportable. Mais maintenant, avec ceux qui traînent et vivent de la peur qu'ils peuvent inspirer aux autres, le quartier devient difficile. Argent, violence, argent, prestige. C'est toujours la même rengaine. Le même cycle merdeux. Et la lèpre urbaine qui gagne les esprit. Quels sont les symptômes de cette maladie mal connue ? On peut accuser la crise, le chômage, la famille disloquée, l'urbanisation. Il n'y a pas encore de véritable diagnostic. Ni de remède. Ni de guérison possible. Et les policiers municipaux, au milieu de tout ça, avec leurs bons sentiments, leurs uniformes, leurs petites compresses. Mascarade !

J'annonce le programme.

— J'irai me promener en compagnie de Robert dans la première voiture. Willy et Marianne, vous irez dans la seconde. Enfin, Joncart, tu feras une patrouille à pied, avec Antoine. Grégoire restera seul au poste pour le téléphone.

Joncart gueule.

— Quoi ? Je suis le chef et tu me fais faire la patrouille pédestre ?

— C'est pour ton bien. Je trouve que tu t'ankyloses ces derniers temps.

Nous sortons.

Je laisse Robert conduire. On roule lentement afin que les électeurs nous remarquent.

On passe sous un pont lézardé en béton. Une structure inutile en plein cœur de la ville. Les ingénieurs de l'Équipement l'ont élevé pour permettre la traversée globale de Marne-la-Vallée. Une voie rapide. Entre les immeubles. Un spectacle de premier ordre pour les habitants assis à leurs fenêtres. Vitesse. Son. Lumière. Le projet a échoué. C'était il y a vingt ans. Mais le pont est resté. Symbole hiératique de l'absence de l'homme dans cet Ordre Nouveau Urbanistique. La cité n'est plus qu'une grande boîte vide. On y entasse des petites vies. On la renferme. On ne laisse passer qu'un faible, unique, rayon de lumière.

*

Le poste est rempli d'uniformes bleus, de voix graves, d'odeurs fortes, malgré l'aération. On se raconte des extraits de ces petites aventures du quotidien qui font que la vie du poste s'écoule sans trop d'inquiétudes.

L'équipe du matin va partir quand je vois se pointer Chang.

Je l'accueille, non sans surprise.

— Salut, Chang ! Qu'est-ce que tu fais là ?

— Bonjour monsieur Ripolini ! Je peux vous parler ?

— Oui ! Sortons.

On s'éloigne de quelques mètres pour rejoindre le centre de la petite place cimentée qui devance le poste.

Chang commence.

— C'est à propos de mademoiselle Liu.

— Mademoiselle Liu ? Ta jeune paente qui range parfois dans les rayons de ta boutique ?

— C'est ça ! C'est la fille d'une cousine éloignée. Mademoiselle Liu a disparu.

— Comment ça disparu ?

— Elle n'est pas revenue travailler dans ma boutique. Depuis trois jours. Mais je sais où elle peut être.

Je reste dubitatif.

— Je ne vois pas où est le problème. Elle fait ce qu'elle veut.

Chang s'assombrit.

Il me répond.

— Non ! Elle ne fait pas ce qu'elle veut ! Elle est en prison. Elle est retenue dans un atelier de vêtements. Un atelier clandestin.

— Retenue ! Pourquoi ? Par qui ?

— Elle n'a pas fini de payer son passeport.

Je connais ce genre d'histoire. Il y a une forte communauté asiatique à Marne-la-Vallée. Ce sont généralement des réfugiés politiques chinois, vietnamiens ou autre. Je sais aussi que des filières d'importation existent. Pour les jeunes surtout. On leur vend un passeport contre une forte somme d'argent. Cent mille ou même cent cinquante mille francs. Comme ils n'ont généralement pas de quoi payer, ils sont forcés de travailler dans des ateliers de confection, des restaurants. Quinze heures par jour. Pour quelques dizaines de francs, ils assemblent des vêtements pour des grossistes, coupent des tonnes de légumes.

Je compatis.

— Que veux-tu que je fasse ?

— Il faut la faire sortir de là.

— Pourquoi ne pas prévenir la police ?

— Je ne peux pas le faire officiellement. Dans la Communauté, on doit régler nos affaires entre nous.

— Je croyais que tu étais français.

— Je suis français et asiatique. Comme vous êtes français et européen. Aidez-moi, monsieur Ripolini ! Allez chercher mademoiselle Liu. Moi, je ne peux plus rien faire. J'ai donné de l'argent. Mais il en manque encore.

Je regarde Chang. Ce dernier semble bouleversé par la démarche entreprise. Ses yeux tournent. Son visage se crispe. Son corps tremble par à-coups.

— Chang, j'ai pas le temps. Je suis sur une autre histoire, une autre affaire, qui me ronge, me bouffe toutes mes journées. Tu comprends ?

Chang ne dit plus rien. Son corps se calme de déception.

Je cède.

— Bon ! Donne-moi l'adresse. Je m'occupe de Liu. Et je veille à ne rien dire à ton sujet.

Chang s'illumine.

— Merci ! Merci ! Merci beaucoup !

Je le calme.

— Dis-moi plutôt où se trouve Liu !

Chang reprend un ton plus solennel.

— C'est dans la tour d'immeubles du Belvédère. Je sais pas où exactement. Le responsable, c'est monsieur Yao Bang. Un homme puissant à Marne-la-Vallée.

Je laisse entendre que j'ai tout compris.

Chang remercie encore une fois et s'en va.

La place résonne de ses pas, de ses pas rapides.

Serge, Antoine, ils reviennent d'une patrouille administrative. Ils sont passés par la mairie afin de récupérer des papiers et sont allés humer l'air du côté des Gitans. Rien à signaler. Sauf que les bons citoyens parlent de s'armer, d'organiser des tours de garde contre les voleurs de poules.

Robert propose de se retrouver pour un dîner collectif. Un barbecue géant d'ici quinze jours. Il offre sa maison comme lieu de débauche. Il a un jardin. L'idée plaît. Ce sera pour moi l'occasion de rencontrer des gens en civil. L'uniforme banalise, bancalise nos rapports.

LE CORYPHÉE

Max n'a plus beaucoup d'amis depuis qu'il s'est séparé de sa femme. Il a un peu coupé les liens. Il lui en reste quelques-uns en Dordogne, où il a passé son adolescence. Mais ça se limite à une carte postale par an et un resto quand l'un d'eux monte à la capitale.

Dans la balance du Jugement dernier, Max est parti avec quelques poids en sa défaveur. Depuis il s'est rattrapé. À partir de quinze ans, par ennui, par réaction, il a fait quelques fugues. Pour passer le temps. Il revenait chaque fois. Souvent accompagné des gendarmes qui l'avaient pris au volant d'une voiture, dans un supermarché. On s'en souvient encore, à Sarlat, des cris de fureur du père Ripolini quand il poursuivait son fils, une ceinture de cuir à la main. Puis le *petit Massimo* s'est calmé. Comme il était doué pour le dessin, il est monté à Paris. Aux Beaux-Arts. Mais il a tout laissé tomber. Quelques boulots minables et c'est le service chez les policiers municipaux. Plus tard sa mère est devenue folle. Comme ça, sans prévenir. Il paraît que c'est de famille. Dans son village des Pouilles, ils sont nombreux dans son cas. Elle vit encore. Dans un asile près de Bordeaux. Max ne va jamais la voir. Il ne peut supporter cette déchéance. Enfin son père est mort. Mort naturelle. Les ouvriers, ça ne vit pas bien longtemps.

Alors seulement il a rencontré Christiane.

LE HÉROS

Joncart m'informe.

— Au fait, y a Pierrot qui a téléphoné. Il veut te voir d'urgence.

— Bien ! J'y vais. Tu restes au poste ?

— Oui !

Je sors avec Robert.

On traverse une partie de la ville.

On arrive devant un terrain mal entretenu où se tient seule, isolée, une salle de sport. Le bâtiment, une construction affreuse, arrachée dans la douleur à la mairie, et qui sert à tous les sports marginaux. Essentiellement la boxe et les arts martiaux.

On entre. Un type s'approche. Cinquante ans bien qu'en paraissant le double, avec une gueule ravagée par le temps, les coups, le vin blanc. C'est Pierrot. Un ancien cogneur reconverti éducateur sportif pour jeunes banlieusards en voie de délinquance.

— Salut Pierrot !

Je connais bien l'ami Pierrot. On a en commun un goût certain pour la boisson.

L'ancien mi-lourd répond, les yeux mi-clos.

— Déjà là les gars ?

— Comme tu vois ! T'as l'air en forme !

— M'en parlez pas. M'en arrive des saloperies. Venez voir !

On se dirige tous les trois vers l'arrière-salle du local où une vitre est cassée. On entend goutter les canalisations apparentes, s'engouffrer un souffle léger.

— C'est là ! Z'ont brisé la fenêtre et volé tout l'matériel de sport. Sont vraiment cons ! Y a jamais d'argent dans c'te boutique.

— T'as prévenu les nationaux ?

— Ouais ! Mais n'ont pas le temps aujourd'hui. Y passeront demain. Surtout que j'ai pas vraiment l'intention de porter plainte.

On retourne dans la salle principale. Sur les murs des tas de portraits. Mohammed Ali. Che Guevara. Lénine. Bouddha. Napoléon Ier. Sugar Ray Robinson. Deux jeunes types s'entraînent sur le ring usagé.

Pierrot poursuit ses récriminations.

— J'suis dégoûté. Déjà qu'on a pas grand-chose. C'est une histoire à en écœurer plus d'un. Déjà qu'il en faut pas beaucoup. Regardez ces deux jeunes. Déjà d'la graine de voyou. Le grand, c'est David. Un p'tit gars de la DASS qu'a jamais eu trop de chance. L'autre, c'est Abdel. Une sale caboche. Ils viennent ici de temps en temps. Plus pour pavaner devant les copains que pour apprendre à combattre. La boxe c'est exigeant. Les jeunes maintenant ils sont de moins en moins exigeants avec eux-mêmes. Mais c'est pas grave. Au moins j' suis là et j'peux leur donner deux-trois conseils. Déjà qu'c'est pas facile. Mais sans matériel !

On regarde en silence. Les deux apprentis boxeurs bougent, tentent des coups, esquivent, crochètent. Mais sans cœur.

Pierrot gueule un coup.

— Deux minutes de pause et, après, dix minutes de corde !

Ils s'arrêtent.

Je reprends.

— Si t'as pas de piste, si t'as rien, si tu sais rien, on peut pas faire grand-chose.

— J'sais bien. Mais c'était juste pour signaler et pour faire un brin de causerie avec la loi et l'ordre. Des fois j'oublie à quoi ça ressemble !

Je lance en sortant.

— Pierrot, ne change jamais !

Robert m'emboîte le pas.

Sur le chemin du retour, je demande à Robert de me conduire à l'hôpital.

En passant, j'ai acheté un bouquet de fleurs. Elle est toujours là. Chambre 147. Elle dort paisiblement. Peut-être est-elle mieux dans ses rêves qu'elle ne l'était dans la vie ?

Je remarque une enveloppe sur la table de nuit. À mon nom.

Je lis.

Monsieur, nous savons votre démarche et vos remords. Mais nous préférons ne plus vous savoir auprès de notre fille. Notre peine est assez lourde comme ça.

La signature est illisible.

Je sors de la chambre. Un flot d'émotion me comprime la poitrine.

LE CHŒUR

Alain Dumouriez. Il monte dans son bus, le 220. La ligne qui traverse tout Marne-la-Vallée dans le sens de la longueur. Il fait tourner le moteur en attendant que le RER déverse son flot de banlieusards usés revenant de la capitale. Cela fait quatre ans qu'il parcourt cette ligne. Toujours la même. Toujours le soir. Machinalement. Depuis longtemps, Alain Dumouriez ne pense plus. Il n'en a plus la volonté. Une fatigue lente, continue. Il a raté sa vie. Il aurait voulu être pilote de ligne. Il a mal tourné. C'était un élève plutôt brillant à l'école, mais il s'est mis à fréquenter des types trop vilains pour être honnêtes. Il s'est fait embarquer dans une opération foireuse de pillage de parcmètres. Il faisait le guet. Il a été surpris par les flics. Il a pris six mois avec sursis. Son père n'a plus voulu le revoir et il a fini dans des foyers. En fin de compte, la RATP l'a récupéré.

Il vit seul. Quelquefois il y a Florence, une institutrice, qui passe un peu de temps avec lui, mais c'est tout.

Il voit arriver le RER. Il prépare la monnaie. Les premiers passagers montent. Certains montrent leur carte de transport, d'autres achètent un billet, les derniers entrent sans payer. Des jeunes surtout. Mais Alain Dumouriez en a rien à foutre du déficit de la RATP. Du moment qu'il roule sans ennui.

Il démarre.

LE CORYPHÉE

Le soir est tombé comme une punition. De guerre lasse, Max s'assomme de vacuité pesante. Il a tout oublié de l'histoire de Chang. Le monde s'efface. Les sons puis les couleurs. Le silence, la nuit s'installent dans son cœur. Il voudrait réagir. Il ne peut pas. Les nécroses de son âme l'empêchent de penser. Blanc. Noir. Vide. Rien. Longtemps.

Un éclair. Les couleurs reviennent d'un coup. Il se lève. Il frissonne. Le chien Médor, à ses pieds, ne dit rien, l'observe d'un air entendu. Médor est un chien cynique. Le sourire en coin, il philosophe. Il juge le monde des hommes. Le problème avec le chien Médor, c'est qu'il est difficile à comprendre, parce qu'il est sincère.

LE HÉROS

Je prends mon blouson. Je sors.

LE CORYPHÉE

On n'explique pas. Lui-même, il ne comprend pas. C'est comme une surgravitation. Il fait des efforts. Mais à force de vouloir représenter le monde tel qu'il n'est pas, Max, comme tous les artistes, dès qu'il revient sur terre, dès qu'il retrouve la réalité, devient malade, lourd, lent. Certains se tirent une balle dans l'âme. D'autres se perdent définitivement dans les abîmes ocrés des paradis artificiels. Les derniers, les moins atteints, ceux qui croient encore à la vie réelle, se désolent lamentablement. Sur eux-mêmes. C'est Max. Une vie réelle rongée par une douleur infectieuse, usante.

LE HÉROS

Je marche à travers ville. Pour une autre vision. La voiture crée une distance. On en oublie la proximité. Il fait sombre. Il fait silence. Mes pas martèlent le sol. Par moments, je perçois de lointains relents sonores. Je marche. La tête en l'air. Les mains en poche. Entre les falaises préfabriquées.

Rendu aveugle, sourd, par le spectacle nocturne de Marne-la-Vallée, je suis pris d'une sorte d'ivresse.

Alors je ne vois pas la jeune femme, ni le landau. Une rencontre inévitable. Encore le destin.

Clac !

La femme encaisse le choc en reculant d'un bon mètre avant de tomber à la renverse. Le landau bascule lentement sur le côté. On y voit mal. Un bébé en est éjecté.

Je crie.

— Merde !

Je me précipite sur l'enfant afin de le récupérer.

La femme crie à son tour.

— Non !

Je soulève la petite chose.

Je m'étonne.

— Qu'est-ce que c'est que ça ?

J'ai dans les mains une poupée de plastique.

La femme hurle, hurle.

— Mon enfant ! Mon enfant !

Ma tête raisonne. Mes membres s'agitent. Je ne sais que faire du jouet. Je me voûte pour relever le landau. Je pose l'enfant factice dessus. Je continue mon chemin. Vite ! Vite ! Je m'éloigne de ce délire.

*

Je frappe à la porte.

Une fille ouvre. Derrière elle, des cris de joie et des musiques. J'entre. Dans le salon, un aréopage de plaisirs singuliers. Fatima et sa cour. Fatima, reine d'un jour.

Elle s'approche.

— Je ne t'attendais plus.

— Je suis là !

— Viens et amuse-toi !

J'acquiesce. Le rire humide de Fatima m'embaume de douceur. On me propose une coupe de champagne. Il y a surtout des filles. Les anciennes, les nouvelles. Et quelques hommes. Les meilleurs clients. On chante. On rit. On vit. La sainte vérité des passions humaines. Pendant quelques heures on oublie de pleurer.

*

Je me rends au commissariat de police avec ma voiture, mon chien et seulement trois heures de sommeil. Le corps défait. Les pensées qui s'entrechoquent. Je demande à voir Mangin. Il est sorti. J'attends une bonne heure en somnolant.

Mangin arrive enfin.

Je l'aperçois. Je me précipite.

— Salut !

— Ripolini ? Vous en faites une tête !

— C'est possible. Vous avez un peu de temps ?

— Suivez-moi, je vous paie un café !

On se rend à la buvette du commissariat. Une salle en sous-sol où un planton sert le café, l'apéro.

— Je vous écoute !

— J'ai l'adresse d'un atelier clandestin de confection.

— Des Chinois ?

— Oui ! Que dois-je faire ?

— Faut voir. Y a-t-il du Yao Bang là-dessous ?

— C'est lui en effet. Vous le connaissez ?

— Hélas ! On cherche à le serrer depuis longtemps. Par ici, il fait office de chef. C'est pas encore la *triade*, mais on s'en approche. Malheureusement, aucun Chinois et pas un autre Asiatique ne parle. Il faut le coincer en flag.

J'explique l'histoire de Chang.

— C'est dans une tour. Le Belvédère.

— Je vois le genre. Un grand F5 totalement insonorisé. Une vingtaine d'esclaves se relayant jour et nuit sur des machines à coudre et dormant sur le sol.

— C'est possible. Moi, je cherche juste à aider une jeune fille à sortir de là. Une certaine Liu. Elle paye son passeport.

— C'est classique !

Je commande un second café.

Mangin poursuit.

— Yao Bang, on le connaît bien. C'est une ordure, mais il est malin. On n'a jamais pu prouver quoi que ce soit. Cependant, avec votre adresse, on peut envisager quelque chose. Il ne suffit pas de démanteler l'atelier. Il faut également prendre l'organisateur.

Je m'inquiète.

— Que va-t-il se passer pour les ouvriers ?

— Ça dépend. Si on leur retrouve des papiers valables, il ne leur arrivera rien. Ils pourront même porter plainte. Les autres seront menacés d'expulsion. Ils pourront faire une demande d'asile à l'OFPRA. Mais c'est de plus en plus difficile. L'époque n'est pas à l'accueil de la misère du monde. Elle se trouve dans quelle situation votre Liu ?

— La première, je pense.

— Dans ce cas, pas de problème !

— Je pourrai vous accompagner ?

— Vous n'avez pas confiance ?

— Bien sûr que si ! Mais c'est pour la petite.

— Si c'est possible, je vous préviens.

Je m'en vais.

Je traîne quelques heures à la péniche. Seul. Rien ne sort de mon pinceau.

Enfin je rejoins le poste. Pour une journée de labeur.

Quelques visites, quelques humains, quelques murs.

Je rentre chez moi. Il fait à nouveau nuit dans Marne-la-Vallée.

À travers la porte j'entends sonner le téléphone.

Je me précipite.

— Oui !

— C'est Mangin ! Je vous attends d'urgence au pied de la tour du Belvédère. On a du nouveau.

— Déjà ? J'arrive.

*

Mangin est dans une voiture banalisée.

J'arrive à sa hauteur. On se parle à travers les vitres ouvertes des portières.

— Me voilà !

— Parfait ! Je vous explique. C'est allé très vite. Juste après votre passage, j'ai mis une équipe devant l'immeuble et une autre à la filoche. Les gars ont à peine eu le temps de s'ennuyer. Yao Bang s'est pointé comme une fleur. Tout seul. Il est à l'intérieur depuis une bonne demi-heure !

J'observe l'immeuble. Rond, mal façonné, mal fini. Une dizaine d'étages.

Je demande.

— Personne n'a jamais rien vu ?

— Non ! Il y a un garage en sous-sol avec une sortie indépendante pour les voitures. Ils doivent transférer la marchandise par là, grâce aux ascenseurs, durant la nuit. Maintenant on va s'occuper de Yao Bang. Il aura six mois de taule et un aller simple pour l'Orient extrême. On va monter rapidement pour le flag. C'est au sixième. On a déjà deux OPJ dans les étages. On entre discrètement. Il y a deux ascenseurs. Vous montez avec moi dans le premier, deux autres gars entrent dans le second. Pendant ce temps, le reste de l'équipe investit l'immeuble par les escaliers.

— Bien !

Mangin ajoute.

— Surtout restez derrière moi. Vous n'êtes pas armé. On ne sait jamais !

Je vais me garer un peu plus loin, excité à l'idée d'agir, d'aider la jeune Liu. Je confie la surveillance de ma voiture au chien Médor. Il reçoit l'ordre de mordre tous ceux qui tenteront de voler l'autoradio.

L'équipe d'intervention entre dans l'immeuble. Je talonne Mangin comme son ombre. On arrive dans le couloir du sixième étage. Il y a deux portes. Deux OPJ sont déjà en position, tapis dans un coin. La lumière ne fonctionne pas.

Seul l'escalier offre une maigre source d'éclairage. On distingue plus qu'on ne voit. L'un d'eux est un Asiatique.

Je m'enquiers. On me répond.

— C'est Yu Yan. Un Parisien. Il nous servira d'interprète.

Yu Yan fait un signe de la tête, frappe à l'une des portes. On perçoit des bruits de pas. Puis une voix aigre qui s'exprime en chinois. Yu Yan répond dans la même langue. La porte s'ouvre. La lumière de l'appartement s'engouffre dans le couloir, ainsi qu'un bruit continu de machines à coudre.

Tacatac !

Tacatac !

Yu Yan force le passage. Son interlocuteur, un Chinois entre deux âges, en reste médusé. Mangin pénètre à son tour, suivi par l'autre OPJ. J'entre.

Mangin crie.

— Police ! On ne bouge plus.

Yu Yan traduit en chinois. D'un coup, le bruit des machines cesse, remplacé par des voix affolées. Rapidement les OPJ prennent le contrôle de la situation. C'est un vaste appartement. Comme prévu, les murs sont recouverts de plaques insonorisantes. Dans le salon se tiennent une douzaine d'Asiatiques aux regards vides. Ils doivent savoir ce qu'ils risquent. Mais on les sent presque soulagés d'une telle délivrance. Ils jactent en silence. Les mains dans le dos, en signe de soumission.

Dans les chambres, d'autres Chinois, agonisant de sommeil, dorment, mangent, jouent au mah-jong, sur des paillasses. Partout, des cartons de vêtements, de tissus.

Yao Bang est au milieu de tout ce fatras. Il ne bouge pas. Il n'exprime rien. Yao Bang me dévisage. On lui passe des menottes. Le portier doit faire office de contremaître.

Il porte une cravache de cuir à la ceinture. Il subit le même sort.

Mangin et son équipe fouillent soigneusement les pièces. Ils découvrent dans un cagibi une petite malle fermée. Mangin ouvre la serrure à l'aide d'une clé trouvée sur le portier. Il y a de l'argent liquide, des cartes de réfugiés, des permis de séjour, plusieurs passeports. Mangin trouve celui de Liu et me le donne discrètement. Les OPJ continuent leur travail en relevant les identités des esclaves chinois. Des flics en uniforme font leur apparition. Ils sont chargés de conduire tout ce monde au commissariat. Dans des fourgons.

Je salue Mangin. Je regagne ma voiture en soutenant Liu. Elle semble épuisée, faible, fragile. Le chien Médor jappe. Elle ne dit pas un mot. Je démarre et nous quittons le quartier.

On arrive devant le magasin de Chang. Je tends à Liu son passeport. Elle fait un vague signe de la tête et sort. Pas vraiment reconnaissante cette fille. Je redémarre ma DS 21.

LE CORYPHÉE

Tu pourrais comprendre, Max, qu'il ne faut pas demander aux morts-vivants d'avoir de la joie. Il y en a pour qui respirer est déjà un acte de bravoure. Et pour que tu prennes un peu pitié d'elle, je vais t'en donner du pathos, à la louche : fourbue, foutue, vendue, violée, vidée, affligée, affamée. Et j'en oublie. C'est compris ?

LE CHŒUR

Mangin. Il avale un verre de bière. Assis à son bureau, il prépare le rapport d'intervention pour le commissaire. Mais il ne peut détourner son regard. Ni se concentrer. Elle est devant lui, la carte de séjour de Lucy Wan. Retrouvée dans l'atelier clandestin. Parmi d'autres papiers anonymes. Prête à resservir pour une autre candidate à l'exil. Une autre jeune fille qui aurait peut-être eu la chance de ne pas finir écrasée sur un trottoir. Il se désole de ce monde où des morceaux de papier ont plus de valeur que des gens. Il lui reste encore un peu d'innocence. Il boit un autre verre de bière.

LE HÉROS

Tout se précipite. Tout se mélange. Je ne contrôle plus rien. Yao Bang. Aurore. Christiane. Un tueur qui court encore. La lèpre qui me ronge. Ma vie qui traîne. Le monde qui pue. Le destin m'empêche d'avancer.

Je m'installe sur le canapé. J'allume la télé pour m'abrutir un peu plus. Je commence à manger un paquet de biscuits salés. Je les partage avec le chien Médor. J'avale sans grand plaisir. La tête embrumée, l'esprit barbouillé, de doutes, d'hésitations.

Je veux agir, réagir, ré-réagir. J'ai besoin d'un coup de fouet, d'une excitation, de quelque chose qui puisse me redonner du désir, du plaisir, de l'émotion. Rien ne vient !

LE CHŒUR

Louise. Elle ouvre doucement la porte. Son bébé dort. Elle sourit. C'est beau, le sourire d'une mère. Ça prend au cœur. Qu'importe l'enfant. Elle retourne dans le salon. Il est là. Pierre. Le dernier homme de sa vie.

Alors tout va vite. Tout s'éteint. Tout se meurt.

*

Il chuchote.

— Tu ne dis rien ?

Non ! Louise, elle ne dit rien.

Quatre heures qu'il la regarde. Immobile. Les pensées perdues dans des limbes infinis. Elle est allongée sur le sol. À moitié nue. Autour de son cou, des marques rouges. Ses jambes sont écartées. Il s'est repu de son sexe. Elle ne dit toujours rien. Pourquoi dirait-elle quelque chose ? Elle a la gueule défoncée. Du sang sec forme sur son visage comme un masque noirâtre. Il tient encore dans ses mains une poupée de plastique maculée d'hémoglobine.

Au moins, *Elle* ne sourit plus.

LE HÉROS

Je me réveille d'un coup. J'ai salement rêvé. Il est à peine sept heures. Je suis crevé. Le chien Médor somnole encore sur le bord du lit. Je me lève. Le chien Médor reste allongé, estimant qu'il est encore trop tôt. Je me passe la gueule devant le miroir. Je me fais peur. Je me précipite dans la cuisine. Je me fais un litre de café bien sévère.

Je m'habille afin de sortir. Le chien Médor daigne se mouvoir quand j'agite sa laisse. Une fois encore c'est lui qui va diriger les opérations. Mon esprit est trop enfumé par les résidus carbonés de mes cauchemars.

*

Je me rends au Lav-O-matic, un sac de linge dans une main. Le chien Médor dans l'autre. Par un curieux hasard, la jeune femme, la journaliste, est là.

Je salue.

— Bonjour ! Toujours à Marne-la-Vallée ?

— Comme vous voyez !

Je place mon linge très sale dans la machine numéro deux.

Bruit.

Attente.

Je m'approche d'elle pour converser.

Je lance.

— Qu'est-ce qui vous a conduite dans cette ville ?

— Le boulot.

J'ironise. Un rictus hilare aux lèvres.

— Ah oui ! *Le Parisien.* La presse de qualité.

— Détrompez-vous. La qualité de notre lectorat augmente sans cesse !

Je doute en clignant de l'œil.

Elle me lance un sourire plein de sous-entendus.

— Je suis certaine que vous en êtes.

— Exact ! Mais c'est pour des raisons professionnelles !

À son tour elle doute.

J'enchaîne.

— Et vous travaillez sur quoi en ce moment ?

— Je dois faire un papier sur les gens du voyage.

— Dans ce cas, dépêchez-vous ! Ils vont être expulsés par les CRS.

— Comment le savez-vous ?

— J'en ai entendu parler !

Elle réfléchit.

— Et vous, que faites-vous ? Toujours dans la police municipale ?

— Plus ou moins. Mais surtout je porte le deuil et j'élève des chiens. Ou l'inverse.

— Désolée !

Silence d'essoreuse.

Elle tente.

— Et vous avez combien de chiens ?

— Un seul. Celui-là. C'est bien suffisant. Et pour le deuil, n'y faites pas attention. En fait, c'est une histoire ancienne ! L'enterrement n'en est que la résolution. J'ai oublié votre nom. Je n'ai pas lu votre article sur l'enquête.

— Juliette Descombes.

— Moi, c'est Max Ripolini.

— Je sais ! C'est italien ?

— Faut croire !

Elle propose.

— Que faites-vous ce soir ?

— Rien !

— Dînons ensemble. J'ai besoin d'en apprendre un peu plus sur Marne-la-Vallée. Vous êtes un ancien. C'est peut-être utile pour moi.

— Bien ! Mais chez moi car il faut que je garde un œil sur mon cabot, il ne supporte pas d'être seul.

Elle observe le chien Médor. Elle raille.

— C’est bien la première fois qu’on me fait le coup du pauvre petit chien solitaire !

— Et en plus il est jaloux.

— De mieux en mieux !

Je lui lance un regard ravageur. J’ajoute.

— C’est à prendre ou à laisser.

— Je prends. Mais chez moi. Venez tous les deux vers vingt heures.

Elle me donne son adresse et elle sort.

Vite, je finis ma lessive.

Vite, je rentre pour me préparer.

Un sentiment nouveau semble me gagner. Je ne m’y attendais pas. Comme une nouvelle source d’énergie.

Je m’arrange avec soin. Je reste une heure dans mon bain.

Avant de partir, je passe un beau collier rouge au chien Médor. Il se trouve ridicule. Il a raison.

Je l’entreprends d’un ton sévère.

— Et surtout ne me fais pas honte !

Nous descendons. Nous prenons la voiture pour nous rendre dans une résidence nouvellement construite au bord d’un lac artificiel. C’est là qu’habite Juliette. J’ai acheté des fleurs, une bouteille de vin, un disque.

Je sonne.

Elle ouvre.

Elle a revêtu une robe rouge, rouge carmin.

Je fais.

— Nous voilà ! Médor aussi, il a son habit rouge !

Le chien Médor grimace, tire la langue.

Juliette invite.

— Entrez !

J’offre mes cadeaux.

Juliette rétorque.
— Il ne fallait pas.
— Ça me fait plaisir.
Juliette loge dans un deux-pièces assez clair. Les meubles sont anciens. Un héritage de sa grand-mère. Du chêne massif. Sauf un fauteuil moderne en cuir jaune.
— Installez-vous !
Elle prend le disque, le regarde et dit.
— *Salomé* de Richard Strauss !
— Oui ! La version française dirigée par Nagano. J'espère que vous aimerez.
Elle glisse le CD dans le lecteur. La musique, les voix s'installent dans l'appartement.

Comme la princesse Salomé est belle ce soir !

Je prends place dans le fauteuil.
Le chien Médor fait lentement le tour du logis. Il visite ce lieu qu'aucune odeur animale n'a jamais souillé.
Juliette demande en venant me rejoindre.
— Pourquoi ce disque précisément ?
— J'ai bon espoir que vous me fassiez la *Danse des sept voiles*.

*

Je me réveille. Je suis perdu. Je ne suis pas dans mon lit. Mes yeux tournent dans tous les sens. J'aperçois un radio-réveil qui indique sept heures vingt et une tête brune qui dort à mes côtés. Je me lève discrètement. Dans le salon, le chien Médor frétille de la queue en me voyant arriver.
Je le félicite.

— Tu as été sage. Je suis fier de toi !

Je me fais du café. Je donne un reste de viande au chien Médor qui le gobe d'un coup. Puis je retourne dans la chambre. Je tente de rassembler mes affaires mêlées à celles de Juliette. Nous avons facilement cédé à nos avances. Quand le désir est là, les peines, les souvenirs, les fidélités sont vite oubliés. Je m'habille rapidement. Je sors pour la promenade.

Le chien Médor est content car il visite un nouveau quartier.

De retour dans l'appartement de Juliette, j'entends le bruit de l'eau. Le chien Médor saute difficilement sur le fauteuil en cuir jaune. Je me rends dans la salle de bains. Elle est de dos. Elle ne m'entend pas entrer. J'admire une seconde la courbe de ses reins. Elle se retourne, me sourit. Je plonge dans les écumes bleutées de l'amour. Mes anciens naufrages disparaissent de ma mémoire. Pour un temps mes douleurs s'apaisent. Pour un temps seulement.

*

François m'appelle.

— Max ! Y a quelqu'un pour toi.

Je pose mon pinceau. Je sors de la péniche. C'est Mangin.

— Commandant ? Quelle surprise !

Il a l'air épuisé.

— Salut, Ripolini. Je suis passé au poste. On m'a dit que vous étiez ici.

— Oui ! Que se passe-t-il ?

— Il a recommencé !

— Quoi ?

— L'assassin ! L'assassin de votre femme ! Il a recommencé ! Un nouveau meurtre.

Je le fixe sans bouger. Je ne comprends pas.

Il ajoute.

— Ce matin. Dans un immeuble. On a retrouvé une jeune femme !

Je réagis enfin. Mon cœur palpite.

— Vous êtes certain ?

— On n'a pas encore les analyses, mais il y a eu strangulation, viol, et il lui a défoncé le visage avec une poupée en plastique. C'est encore plus dégueulasse que les deux autres. C'est une voisine qui a donné l'alerte. La porte était ouverte.

Je me sens mal. Je demande.

— Qu'est-ce qu'on fait ?

— Rien pour le moment. Le légiste s'en occupe. Mais passez me voir, chez moi, en fin d'après-midi. Pour l'instant je vais me coucher. J'étais de permanence toute la nuit.

*

J'arrive au poste. Dans un état second. Alors que je perdais espoir, il est venu me donner une seconde chance. Cette fois, je l'aurai. Christiane sera fière de moi.

Mes collègues sont comme des fantômes. Je ne les vois pas. Mon esprit est déjà sur la piste du tueur.

*

À seize heures, je sonne chez Mangin.

Mangin habite une petite maison, dans une petite résidence, avec un petit jardin.

Il ouvre. Il dort encore dans un peignoir vert.

— Déjà là !

— Je n'ai pas pu tenir !

En bâillant, il m'invite à entrer.

Nous sommes dans le salon. Canapé beige, murs bleus, éclairage imitation Lalique. Il m'offre un café. Je l'avale d'un coup. Le liquide me brûle l'œsophage.

Il va chercher un dossier qu'il ouvre devant moi. Je connais par cœur les deux premières affaires. J'attends qu'il m'en dise plus sur la troisième. Il m'apprend les circonstances de la découverte. Hier soir. Il me donne des détails sur le décès. La strangulation, le reste. Il m'expose les faits. J'ai déjà vu la victime. Louise Lebrun. Trente et un ans. Une femme un peu folle avec un landau, un bébé factice. Il n'y a pas longtemps.

Il me dit.

— On n'a pas encore les analyses, mais ce ne peut être que lui.

— Je suis d'accord.

— Mon équipe est déjà en plein travail. On tente d'en savoir plus sur les fréquentations de Louise Lebrun. Les journalistes ne vont pas tarder à faire le rapprochement. Le commissaire m'a déjà convoqué. Je dois l'aider à mettre au point une réponse adaptée auprès de la population. La psychose du meurtrier en série va gagner Marne-la-Vallée.

Je confirme d'un geste de la tête.

Il continue.

— Passons à l'interprétation des faits.

Il pose devant lui, sur la table basse, trois séries de photos. Les victimes, vivantes, mortes, et les scènes des crimes.

Nous les examinons. Le portrait de Christiane me ravive des émotions enfouies.

Je me souviens. Notre voyage en Italie. Il y a si longtemps. La lumière éclatante. Les ruines de Pompéi. Le plafond de la Sixtine.

Il rompt le silence.

— Nous avons trois meurtres. Trois meurtres semblables mais pas totalement identiques. Elles n'ont pas de lien entre elles. On peut logiquement supposer qu'il procède, exécute, par pulsion.

— Un malade impulsif ?

— Oui ! Il ne doit pas avoir de vengeance particulière à assouvir. Sauf contre les femmes. Il n'organise rien. Par exemple, il a utilisé trois armes différentes : un manche à balai, une branche d'arbre, une poupée. Il prend ce qu'il trouve. Il improvise quand il se rend compte qu'il doit agir. D'ailleurs, les armes ne sont pas là pour tuer. Il utilise ses mains. Les armes sont là pour détruire. Pour effacer les visages.

Mangin marque une pose.

Il se sert un cognac. Il m'en propose un. J'accepte.

Il poursuit son analyse.

— Maintenant les points communs. On n'a pas grand-chose. Ce sont des femmes. Il y a une blonde, deux brunes. Trois milieux sociologiques différents. Trois tailles, trois âges, trois apparences différentes.

— Il pioche au hasard.

— Exactement !

— Cependant, il leur fait à toutes la même chose. Strangulation, viol, ravage du visage.

— Mais cela s'est passé une fois en extérieur et deux fois à l'intérieur.

— Il y a pourtant un autre point commun.

— Lequel ?

Je regarde à nouveau les portraits.

— Elles étaient toutes les trois assez jolies. Des traits délicats.

— C'est vrai. Elles étaient jolies. Des visages fins. Et il les a bousillés.

— Voilà une partie de sa motivation. Il doit, dans son inconscience, vouloir défigurer, déformer ses victimes.

— Dans quel but ?

— Impossible à dire. C'est une sorte de rite que seul son cerveau malade a pu concevoir. Il veut détruire la beauté. Qu'en pensez-vous ?

— Il y a quand même le viol. C'est important.

— C'est sans doute un frustré. Il hait, mais il crève de désir pour les femmes.

— Oui ! Mais il ne touche jamais au reste du corps. Il se contente du sexe. C'est un primaire.

— Je suis d'accord.

Il me ressert du café.

Je lui demande.

— Que pouvons-nous faire maintenant ?

Mangin hésite.

— Si mes hommes ne trouvent rien, on va orienter les recherches vers les malades mentaux. Mais on a peu de chances. Il faut attendre qu'il fasse une erreur.

— Belle méthode d'investigation.

— Nous travaillons le sujet. Mais ce n'est pas le seul acte criminel commis dans notre secteur. Il y a toute cette délinquance quotidienne qui nous prend notre énergie. Ce genre d'histoire, ça peut durer longtemps. Il y a un meurtrier, quelque part, mais le monde continue de tourner. Il faut faire avec. Normalement, une brigade de recherche de la gendarmerie doit prendre le relais. Ce sont des spécialistes. Que pouvons-nous faire d'autre ?

— Je ne sais pas. Chercher. Fouiller. Chercher la vérité !

J'avale ma tasse. Je me lève. Il me raccompagne.

Il me dit d'un air déterminé.

— Je vous tiens au courant.

— Je sais !

J'ajoute en partant.

— Au fait ! Où en êtes-vous avec Yao Bang ?

— On avance. On essaie de lui coller un meurtre.

— Un meurtre ?

— Oui ! Une jeune Chinoise défenestrée. Il prétend avoir un alibi. On n'a pas vraiment de témoin et un seul indice matériel.

— C'est maigre !

— Oui ! S'il ne parle pas, on ne prouvera rien !

Je retourne au poste.

Joncart me prévient. Deux cars de CRS sont arrivés pour l'expulsion des Gitans. Même Mangin ne savait pas.

Je m'y précipite.

Des caravanes ont déjà commencé à partir. Il n'y a pas trop de violence. On ramasse tout, rapidement, précipitamment.

J'aperçois Toniù. Il me regarde dans les yeux. J'ai honte.

Juliette est là. Elle prend des photos pour *Le Parisien.* Je préfère quitter la place.

LE CHŒUR

Alain Dumouriez. Le bus 220 quitte l'arrêt. À son bord, quelques rares individus. Deux réfugiés tamouls du Sri Lanka, une mère et son fils qui parlent un assez bon français. Elle doit être folle. Elle parle sans cesse pour raconter que ses ennemis personnels l'attaquent avec des ondes mentales depuis Colombo. Son fils lui dit de se taire. Mais elle continue, comme un fleuve verbal au débit lourd, lourd, continu.

— Les ondes, les ondes, je ressens les ondes !

Il y a aussi monsieur Alexandre, un employé de la Poste qui travaille en nocturne. Plus de vingt ans qu'il prend le même bus, à la même heure, au même endroit.

Il annonce au chauffeur.

— Encore deux ans et c'est la retraite.

Alain Dumouriez lui répond.

— Vous avez de la chance !

Mais il n'en pense pas un mot.

Il ajoute.

— Qu'allez-vous faire après ?

— Je ne sais pas encore. J'ai ma maison, mon jardin, ma femme.

Alain Dumouriez sait que ce genre de type n'a rien à faire à la retraite. Il lui donne deux-trois ans maxi avant de claquer d'ennui. Alain Dumouriez aime rencontrer des gens dont la vie est encore plus pitoyable que la sienne. Quelque part, cela doit le rassurer. Son col de chemise le démange.

Et puis il y a cet homme. C'est la première fois qu'il le voit. Il l'observe dans le rétroviseur parce qu'il lui paraît étrange. L'homme a l'air inquiet. Il se retourne sans cesse. Alain Dumouriez lui donne quarante-cinq ans environ. Un peu gras. Un peu dégarni.

Le bus s'arrête.

Une jeune fille monte. Elle achète un ticket en lançant un joli sourire. Alain Dumouriez en oublie l'homme.

Il ne le remarque à nouveau qu'à l'occasion de sa descente. En même temps que la jeune fille.

LE CORYPHÉE

Le laboratoire de la police scientifique a confirmé. C'est le même homme qui a commis les trois meurtres. La presse s'en est donné à cœur joie. Le portrait-robot a été diffusé une nouvelle fois dans les journaux. Les gendarmes ont repris le dossier. Des gens se sont affolés. Il y a eu quelques coups de téléphone. On avait reconnu un parent, un voisin, un ennemi. Tout a été vérifié. Mangin, Ripolini, ils ont même accompagné les gendarmes. Trois types dénoncés n'avaient pas d'alibi mais leurs tests génétiques étaient négatifs. Du côté des asiles, on n'a rien trouvé non plus.

Max, pauvre Max, tu as vécu quelques jours sur les nerfs, entre espoir et désespoir. Tu sais que toujours ce sentiment du devoir inaccompli occupera ton esprit. Tu sais que la lutte contre cette lèpre urbaine ne passera que par la découverte du meurtrier. L'apaisement de ton trouble interne ne viendra que par la compréhension de cette histoire.

LE CHŒUR

Il gémit. Il s'excuse en pleurant. Il ne pouvait faire autrement. Il n'en a pas dormi. Pendant deux nuits. Il se sentait coupable, sale, sale. Elle était là. Il avait besoin d'elle. L'autre, la dernière, Louise, c'était insuffisant. Il lui en fallait une autre. Mais pourquoi ce bus ? C'est dangereux. Il y a du monde. On peut le reconnaître. Il faut se reprendre. Se ressaisir. Son esprit danse à deux temps. De toute façon, ils auront du mal à la retrouver, à la reconnaître. Il lui a fait disparaître le visage. À coups de pierre. Ce n'est pas sa faute. Il a caché le corps. *Elle* riait de lui. Dans un coin perdu. Avec des yeux noirs, méchants. Il ne sait plus où. *Elle* le regardait. Sous un tas de déchets. Il n'a pas supporté. Avec une pierre. Oui ! Avec une pierre. *C'est avec cette pierre que je bâtirai mon royaume.* Il s'amuse de cette remarque.

LE HÉROS

Je suis fatigué. Épuisé même. Avec toute cette tension qui s'est accumulée. Je n'ai pas le temps de mettre la clé dans la serrure. J'entends le chien Médor qui grogne à mes côtés. Je me retourne. Deux types sont là. Des Chinois. À leur gueule, on sent bien qu'ils ne sont pas là pour vendre de la porcelaine Ming. L'un d'eux, le plus petit, passe à sa main droite un poing américain. Je fais une prière à San Rocco, le patron des situations désespérées. J'ai toujours fait preuve d'une grande humilité face à plus fort que moi.

Les deux Chinois s'avancent.

Je suppose.

— C'est de la part de Yao Bang ?

Le plus grand arbore au front une cicatrice de belle taille. Moins longue mais bien plus large que la mienne. Il émet un sourire tout oriental signifiant l'acquiescement confucéen. Je somme le chien Médor d'aboyer le plus fort possible. Le chien Médor s'exécute. La porte d'en face s'ouvre. Une tête apparaît, celle de madame Lopez, la voisine. Je lui pardonne tout. Son bavardage, ses tenues vestimentaires.

Le grand balafré l'ajuste alors avec un pistolet de gros calibre qu'il sort de son blouson.

Il ordonne.

— Rentrez chez vous ! Vite ! Vite !

Madame Lopez s'exécute aussi rapidement que son gros corps le lui permet.

Je regarde le chien Médor. La situation est grave. Si madame Lopez prévient la police, il nous faudra patienter un bon quart d'heure avant d'être sauvés. Nos chances sont minces.

Les deux Chinois s'approchent de nouveau. Je me prépare. Les bras en avant. Ma défense est ridicule. Le plus petit, d'un geste vif, précis, me balance un coup de pied dans le bas-ventre. Je crie de douleur. Je me plie en deux. Je relève la tête. Je n'ai pas le temps de parer. Il m'ajuste un coup métallique sur la tempe. Craquement ! Ma tête semble exploser. Je me sens partir vers le monde douceâtre du KO. L'autre tente d'attraper le chien Médor. Ce dernier court en grognant dans tous les sens.

Je murmure péniblement.

— Vas-y Médor, fuis ! fuis !

Je m'évanouis. Je consens à mourir.

*

J'émerge.

Une brume opaque m'entoure. Progressivement, je perçois une voix connue, puis une langue râpeuse qui me lèche. Ma vue est anormale. Comme recouverte d'un voile rouge. Je reconnais Chang, le chien Médor, penchés sur moi.

Chang me demande.

— Comment allez-vous ?

Je baragouine.

— Qui ? Quoi ?

Chang m'aide à me relever. Chang a la gueule défoncée. Un large hématome, des coupures.

J'articule avec peine.

— J'ai la tête qui tourne !

Je sens le sang affluer d'un coup vers mon crâne. La douleur devient insupportable. Je crois à nouveau que je vais repartir vers l'ailleurs.

Chang me retient fermement.

— Doucement. Ne bougez pas ! Ne pensez pas !

Je retrouve mes repères. Je suis encore dans le couloir. Je découvre madame Lopez en robe de chambre fuchsia. Elle tient un fusil à la main et menace les Chinois assis par terre. L'un d'eux est blessé à l'épaule. Le plus grand.

Je m'informe.

— Que s'est-il passé ?

Chang, le pistolet des Chinois à la main, explique.

— Ces deux sales types sont passés dans mon magasin un peu avant de venir chez vous. Ils m'ont laissé à moitié mort. Mais à moitié seulement ! Je me suis dit qu'ils viendraient vous voir. J'ai pris mon fusil et me voilà !

— Comment ont-ils su ?

LE CHŒUR

Il est à genoux. Il lance à voix haute.

— Je n'ai pas pu faire autrement. Il faut me croire. Il faut me pardonner. Je suis prêt à subir toutes les punitions mais il faut me pardonner !

Dans l'ombre, une voix sourde reprend.

— Mérites-tu que je m'occupe de toi ? Le pardon, mon enfant, c'est difficile à donner. Je t'ai aimé pendant toutes ces années mais il est trop tard maintenant. Je ne peux plus rien faire pour toi.

— Non ! Non ! Revenez !

Il n'y a pas d'écho à ses lamentations. Il n'y a plus personne dans l'ombre. Il se met à pleurer. Des spasmes le prennent. Il se donne des gifles. Il se donne des coups. Il veut se faire mal. Il se fait mal. Il se met à vomir. De la bile, du sang. Il s'effondre sur le sol. Il se flétrit.

En gémissant. En criant.

— C'était un moment d'égarement. Un simple moment d'égarement. Ce n'est pas ma faute. C'est *Elle* avec son visage de glace, son sourire de feu. C'est *Elle*. Pourquoi ne m'aime-t-*Elle* pas ?

LE HÉROS

Lenteur. Langueur.

Je traîne à l'hôpital. Deux étages au-dessous de ma chambre, il y a la petite Aurore. Dès que j'ai pu, je suis allé la voir. Malgré l'interdiction de ses parents. Chambre 147, le temps reste incertain, suspendu, irrésolu.

Dans cette histoire j'ai gagné un peu de convalescence et perdu quatre dixièmes à l'œil droit. J'étais déjà défiguré, me voilà borgne. Deuxième avertissement.

Antoine s'occupe du chien Médor. Des infirmières s'occupent de moi.

François, Juliette, ils sont venus me voir. Souvent.

Mangin aussi est venu me voir. Il m'a annoncé la découverte d'une nouvelle victime. Le corps a été découvert dans une maison en construction. Sous un tas de déchets, de gravats. Même *modus operandi*. La jeune fille, jolie, blonde, Agnès Lacan, avait vingt-trois ans. Des difficultés pour trouver son identité. Il lui avait ravagé le visage avec une pierre. De l'acharnement.

Une bonne nouvelle. Il y a un témoin. Un chauffeur de bus. Il pense avoir vu l'assassin le soir où la fille est morte. Il a modifié le portrait-robot. Ça semble correspondre.

Mangin a relancé les recherches. Mangin a dit que le tueur avait fait une erreur en se montrant.

Enfin, je sors de l'hôpital. Je veux reprendre l'enquête. Maintenant, rapidement. Pourtant j'avance à reculons. Je ne parviens pas à me faire la moindre idée sur ce type. Tout ce que je sais c'est qu'il a vu pour la dernière fois Christiane en vie. Je lui en veux. Par jalousie.

Juliette est venue me chercher.

Elle veut qu'on aille quelque part. Se reposer. Ailleurs. Je refuse. Ailleurs, c'est chez moi. Elle n'insiste pas. Je suis stupide. Je préfère me punir.

Je retrouve Marne-la-Vallée.

Rien n'a changé. Je sens que la lèpre a encore progressé.

J'en prédis l'expansion.

Quoi de plus normal ! Marne-la-Vallée est un espace enclos par une Marne qui déploie ses courbes au nord, une autoroute qui barre le sud, une voie rapide qui arrive au centre pour desservir les quartiers, une campagne à l'est. Rien à faire, rien à espérer. Et à l'ouest, la géhenne parisienne.

C'est dire qu'on y entre, qu'on n'en ressort jamais. Marne-la-Vallée, c'est un étouffoir, ça manque d'air. C'est propice aux miasmes, à la pourriture.

STASIMON

Le chant de Dionysos

Zeus était plein d'ardeur, Zeus.
Il eut pour fils Dionysos,
qui était cornu, qui était cornu, et qui avait pour mère Sémélé.
Sur l'ordre d'Héra, jalouse, les Titans s'emparèrent de lui.
Il fut tué, démembré, mangé par ses ennemis,
puis ressuscité par son père.
Quand il remonta des enfers, au renouveau,
son ivresse de vivre se libéra en une
frénésie, frénésie, frénésie.
Il parcourut le monde, vit mille et mille choses, fit mille et mille orgies.
Son culte sauvage perpétua des rites immémoriaux.
Les fidèles absorbaient la chair et le sang de leur dieu.
La victime immolée fut dans la suite remplacée
par un bouc emblématique.
C'est en imitant les rites que naquit la tragédie, que naquit la tragédie.

EXODOS

LE CHŒUR

Nuit sans lune. Rue avec lampadaires.

Abdel, David, Sélim, ils sont trois. Trois fangeux. Trois foireux. Trois fois rien. Ils attendent. Ils n'ont jamais rien fait d'autre que d'attendre. Ils n'ont pas l'intention de changer. Surtout ce soir.

Ça s'agite. Ça gueule. Ça s'égosille d'insultes, de pensées infirmes.

— Putain ! Qu'est-ce qu'on branle ? Il est où, ton keum ?

— Qu'est-ce j'en sais ! Y va venir. Tu peux pas te garer cinq secondes sans prendre la tête à tout l'monde ?

— Encore un plan merdeux !

— Qu'est-ce tu racontes, bâtard ?

— J'suis pas un bâtard.

— Ta mère la Blanche s'est fait niquer par un Arabe. Alors t'es comme un bâtard.

— Putain ! j'vais t'arracher la langue et niquer ta race. C'est pas un Arabe mon père, c'est un Iranien. T'es trop con pour comprendre la différence.

Pause.

Il se fait dans les vingt-deux heures. Un souffle chaud, chaîné, presque humide, s'engouffre par la rue, entre les immeubles. Le trio fume clope sur clope pour meubler le silence de l'attente. Ils sont répandus, vautrés, dans une vieille Renault Fuego trafiquée. Les portières ouvertes. Ils doivent avoir vingt ans. Pas plus. De loin, ils forment une bande de punaises malsaines, obscènes. De près aussi. Ce sont des clones : survêtements Tacchini, casquettes Lacoste, pompes Nike. Une caricature d'eux-mêmes. Sauf un, Sélim, qui est tombé du troisième étage quand il était jeune, et qui se trimballe en fauteuil roulant. Mais là, il fait comme les autres. Rien. Le fauteuil est dans le coffre.

Marne-la-Vallée, côté sombre. Tout se cache. Tout se dissimule. L'économie y est souterraine. Brouille, débrouille, embrouille. Question de survie. Des minorités ethniques, sociales, y sont parquées. Sons, tensions, actions, réactions. La ville qui se gangrène de l'intérieur.

Deux types surgissent. Derrière eux. Grands, larges, sapés milord, ils sortent d'un immeuble dont le parement de la façade commence à s'effriter. Les matériaux employés pour la construction se consument rapidement par ici.

David les aperçoit dans le rétroviseur.

— Le voilà ! Putain ! Ils sont deux ! T'avais pas dit qu'il était seul ?

On s'inquiète.

— J'sais pas !

Les deux types arrivent à leur hauteur, en arborant un air théâtralement patibulaire pour se donner plus de contenance.

Abdel sort de la voiture et lance.

— Salut !

Il porte sa main droite à son cœur. Un rite qu'il a adopté. Sans culture arabe, sans culture française, mal intégrés, Abdel et ses potes rejettent tout en bloc. Quelquefois, pour se distinguer, ils récupèrent deux-trois traditions. Le salut du cœur, le couscous de la mère, le ramadan. Mais sans y croire.

Les deux types observent en contractant leurs mâchoires. Comme dans les films. Le premier porte malgré la nuit des lunettes de soleil.

Il demande en bouffant ses mots.

— Z'avez l'cash ?

Abdel répond.

— On a six mille, comme prévu !

— Filez les pascals !

Abdel sort les billets de sa poche.

— Voilà !

Le premier contrôle, fait un signe au second. Ce dernier retourne dans le renfoncement de l'immeuble. Il ouvre une boîte aux lettres avec une petite clé, en sort un paquet entouré de papier, observe autour de lui, revient à la voiture. Abdel attrape le paquet qu'il lui lance sans précaution, l'ouvre, hume l'odeur qui s'en dégage.

Il s'extasie.

— Trop fort !

Les deux types quittent les parages comme ils sont venus, sous le regard ravi des trois *chebab*.

Silence.

— Qu'est-ce qu'on fout maintenant ?

On se regarde.

Sélim propose.

— On s'en fait un, et après on bouge.

Abdel élabore un cône avec un peu de l'herbe qu'ils viennent d'acquérir et l'allume. L'odeur âcre se répand dans la voiture. Il tire deux fois de suite sur son pétard, le transmet à David.

Il explique.

— On en fourgue la moitié aux tocards de la cité, on touche assez pour en reprendre et on s'lance à donf dans l'bizness. C'est pas un bon plan ça ?

— Putain, t'as raison. Qu'est-ce qu'on peut espérer d'autre ?

— Des meufs à tirer.

— Avec la thune, on aura plus de blèmes pour lever n'importe quelle salope.

— Ça va être le kif, c'est moi qui vous le dis.

Abdel démarre la voiture tout en recrachant des volutes de fumée. Le moteur mugit, rugit. Il fait jouer l'accélérateur. Le bruit se répand dans tout le quartier. Un bruit qui dérange, qui trouble, qui inquiète. Un bruit sournois qui fait peur aux bons citoyens. Abdel et ses potes le savent bien.

Sélim, que la vitesse excite, balance.

— Vas-y ! Fonce !

On referme les portes.

Clac ! Clac ! Clac !

Abdel embraye. Accélère. Droit. Tout droit. Sur deux cents mètres. Il évite plusieurs tas de poubelles qui débordent sur la chaussée. Le moteur gronde. Il y a en face une boulangerie.

Sélim ordonne.

— La vitre ! Défonce la vitre !

Abdel accélère encore. Puis freine d'un coup. Les pneus crissent. Le pare-chocs atteint la vitrine de la boulangerie.

Blam !

Elle se brise sous le choc. Des milliers de particules comme une pluie de verre.

Alarme !

Abdel passe la marche arrière.

— On bouge ! Les keufs vont se pointer.

LE HÉROS

Je reprends ma fonction de chef-adjoint. J'ai maigri. J'ai des lunettes sur le nez pour faciliter la régénération de mon œil droit.

L'équipe semble heureuse de mon retour. On m'encourage. On me soutient.

Les palabres durent quelques instants.

Une odeur de peinture traîne encore un peu. J'ai proposé de repeindre l'intérieur du poste. Le chef Joncart a eu le malheur d'accepter. Pendant mon repos forcé, je suis venu tous les soirs, juste avant de faire le tour des bars, des boîtes de nuit, avec le portrait-robot, pour œuvrer. De larges aplats de couleurs vives ont remplacé l'ocre terne du passé. Maintenant on hésite à se sentir dans un poste de police municipale. Plutôt dans un restaurant à la mode.

Le chef Joncart informe tout le monde.

— Y a encore eu des conneries de faites cette nuit. Une vitrine détruite, quelques violences urbaines. Il va falloir être un peu plus vigilants. Il va falloir ouvrir l'œil, faire de la prévention. La mairie nous l'ordonne.

Je sais que ça gueule à la mairie. Les problèmes s'accumulent. Un maire-adjoint s'est fait surprendre dans un bureau en train de sauter une employée municipale. Il lui avait promis une nouvelle affectation. Ça s'est su. Le maire camoufle l'histoire comme il peut.

Les éboueurs se sont mis en grève. Les poubelles traînent sur les trottoirs. Les citoyens commencent à gueuler. Encore cette lèpre informe. Il fallait s'en douter. Le maire tente de négocier.

Je laisse le chien Médor sur son coussin. Je pars en patrouille avec Robert.

Nous roulons comme à l'ordinaire. Il conduit en silence. Je jette quelques regards abstraits sur la ville.

Marne-la-Vallée est la même. Même ambiance, même odeur, même couleur. Pas de quoi se réjouir les sens.

Nous rentrons.

Je m'installe derrière le bureau. Je dois relire toutes les notes de service, tous les arrêtés municipaux, et pour la millième fois les quatre rapports de Mangin sur les quatre meurtres. J'espère toujours y trouver un lien, un indice, une trace.

Willy tient avec talent la permanence téléphonique.

*

Je tourne en rond. J'ai fini depuis longtemps de digérer mes lectures. Je me suis même attaqué au *Parisien*, à sa cohorte de faits si peu divers.

Le téléphone sonne.

Willy se racle la gorge et répond.

— Police municipale de Marne-la-Vallée, bonjour !

Une voix de femme.

Willy met le haut-parleur.

— Bonjour monsieur ! J'habite dans le quartier du Mandinet, rue de la Fraternité.

— Oui, madame.
— Je suis inquiète.
— Je vous écoute.
— Mon voisin, M. Castro, n'est pas sorti de chez lui depuis plusieurs jours. J'ai sonné. Il ne répond pas.
— Peut-être est-il en vacances ?
— Il n'y va jamais. J'ai un mauvais pressentiment.
— Comment êtes-vous certaine qu'il n'est pas sorti, parti, quelque temps ?
— Parce que je ne l'ai pas vu. Nous sommes mitoyens. C'est facile de regarder. Et puis, je ne vois plus ses chats. Normalement ils traînent dans le jardin !
Je fais un signe de la tête.
Willy traduit.
— Bien madame ! On vous envoie une voiture.
Il raccroche après avoir noté l'adresse.
J'ordonne.
— Tu envoies Grégoire et Marianne. Ils doivent tourner quelque part !
Willy prend le poste émetteur.
Grégoire lui répond.
— Voiture zéro-un. J'écoute !
— Faut aller faire une visite. Une petite vieille recherche son voisin désespérément. M. Castro. C'est dans le quartier du Mandinet, rue de la Fraternité.
— On y va !

LE CHŒUR

Marianne, Grégoire, ils arrivent sur place. Un lotissement adapté pour les vieux. Petites maisons, petit confort, petit mouroir. Marianne gare la voiture sur le trottoir. Entre deux sacs-poubelles. Ils trouvent la maison de M. Castro. Ils sonnent plusieurs fois. Personne ne répond. Ils aperçoivent la voisine qui regarde discrètement à travers le rideau de sa cuisine.

Grégoire demande.

— Qu'est-ce qu'on fait ?

— Je sais pas. On n'a qu'à jeter un coup d'œil. Regarde la boîte aux lettres. Le courrier n'a pas été ramassé depuis un bon moment !

Ils poussent la porte en bois donnant sur un jardin bien entretenu. Gazon anglais, massifs colorés, nains en plâtre. Ils arrivent devant la porte d'entrée. Marianne frappe énergiquement. Aucune réponse. Elle insiste. Rien. Elle écoute attentivement.

— Je crois que j'entends des miaulements.

Marianne abaisse la poignée. La porte s'ouvre. Une odeur nauséeuse, méphitique, les prend à la gorge. Ils sortent tous deux un mouchoir pour se le mettre sur le nez. Trois chats s'échappent en miaulant, en braillant, dans le jardin. Les deux policiers municipaux s'avancent. Un large couloir qui dessert trois pièces. Un fort parfum de pisse de chat, de viande faisandée domine l'atmosphère. Ils poursuivent leur visite. Marianne remarque la collection de poupées en porcelaine qui trône dans le salon. Ils arrivent dans la cuisine. L'odeur se fait plus forte encore. La saleté, le désordre règnent. Sur le sol, derrière la table, ils voient un corps. Un corps allongé sur le ventre.

Grégoire pousse un cri étouffé.

— Ah ! Saloperie.

Ils s'approchent.

Marianne, livide, ajoute.

— Il est mort ! Il est mort ! Et les chats ont commencé à le bouffer !

Elle vomit d'un coup son repas de la cantine.

*

La police, les pompiers, ils sont tous là. Ils s'affairent autour du cadavre en état de première décomposition. Les diptères sont déjà à l'œuvre. Pauvre M. Castro ! Marianne, Grégoire, ils sont encore pâles. Ils rentrent en silence.

LE HÉROS

J'écoute avec attention le récit du pavillon de l'horreur que me font mes collègues.

Je demande.

— Et les chats ? Que sont-ils devenus ?

Grégoire avoue.

— On ne sait pas. La voisine n'en veut pas. Elle a peur qu'ils aient pris l'habitude de la chair humaine.

Je plaisante.

— Les pauvres ! Il fallait bien qu'ils se nourrissent.

Mes collègues n'apprécient guère.

Le reste de l'après-midi file rapidement.

Comme souvent quand je ne patrouille pas, je passe le temps devant la porte du poste à observer le monde. Je ne juge pas. Je constate. J'étudie la progression de la pandémie. Il me semble que cette lèpre urbaine progresse plus lentement autour du poste. J'essaie de me convaincre que notre travail est un acte de résistance. Il y a pourtant tous ces représentants du genre humain qui crachent, éructent, transpirent d'inaction. Et toute une ribambelle de gamins qui traînent après l'école. Certains me saluent. Ceux que je vois à mon atelier de peinture. D'autres se courent après, s'insultent, se donnent des coups pour rire. Le monde entier, hommes, signes, objets, n'est qu'un prétexte à un vaste théâtre de fantômes. Anges étranges, défaits et déchus. Tout se répète, tout se joue, tout se rejoue.

Enfin je rentre chez moi. C'est à peine si j'ai parlé avec mes collègues. Je n'ai plus grand-chose à leur dire. Lentement je m'enferme dans un monde clos. Je m'entoure d'un mur. Pour résister aux invasions de toutes ces étranges créatures, les hommes. Pour résister à la maladie qui s'est emparée de Marne-la-Vallée. Seule son existence, sa présence, quelque part dans cette ville, arrive encore à me fournir de l'énergie, du carburant, pour continuer à respirer. Où es-tu ?

LE CHŒUR

La journée s'achève. Les derniers clients, comme il dit, sont partis. Il a écouté toute la journée des plaintes, des remords, des explications. Une sorte d'habitude. Il s'est concentré sur quelques gestes, quelques paroles. Pour oublier, un temps, ce mal qu'il a fait.

Maintenant il est seul. Mais il a peur qu'*Elle* arrive, qu'*Elle* le juge, qu'*Elle* le rejette.

LE HÉROS

Ce matin, Marne-la-Vallée, comme tous ses habitants, suinte d'ennui, de fatigue, de doute. Sans visage, elle n'exprime rien d'autre que le froid du béton, la grisaille du ciel. Observateur muet de cette vaste friche urbaine où rien ne pousse, où rien ne fleurit, je traverse la cité au volant de ma DS 21. France-Musique diffuse Mozart. *Don Giovanni.* Festival de Salzbourg. 1959. Giulini à la baguette. Le drame est joyeux.

Par moments je chantonne.

Misero ! Attendi, se vuoi morir !

Je me pointe en avance au poste.

Je ne suis pas allé à la péniche. Le chien Médor se précipite sur son coussin après s'être fait gratter le ventre par Marianne, par Grégoire. Ils se préparent à partir en patrouille.

Le chef Joncart s'étonne.

— Qu'est-ce qui t'arrive ? T'es tombé du lit ?

— Non ! J'ai quelques tâches administratives à faire !

Je constate que Graziella, la femme de ménage italienne, est encore là. Elle astique les coins, les recoins du local, sous le regard concupiscent des garçons de l'équipe. Le corps de Graziella, charnel, vibrant, vaut bien celui d'une Marilyn Monroe des meilleurs jours. Une longue chevelure brune en sus.

Je romps le charme qui s'était installé.

— Que se passe-t-il ?

Marianne répond avec une pointe de jalousie.

— Ils fantasment comme des adolescents sur Graziella.

— Je les comprends. Mais que fait-elle encore là ?

Le chef Joncart intervient.

— Le maire vient visiter le quartier. J'ai oublié de te prévenir. Alors faut que ça brille dans cette turne.

— Tu parles ! Il en a rien à foutre de la propreté du local, le maire. Au contraire. Si c'était bien sale, bien puant, bien sordide, peut-être qu'il nous donnerait un nouveau poste. J'aurais pas dû refaire la peinture.

Joncart s'offusque.

— Dis pas de conneries ! De toute façon, on se retrouve cet après-midi pour établir notre cahier de doléances !

— Parfait !

J'échange quelques mots en italien avec Graziella. Cette langue est l'un des rares cadeaux que mon père m'ait jamais faits.

Les patrouilles sortent une à une.

Je m'assois lentement derrière mon bureau. Je pousse un soupir.

Le chef Joncart s'inquiète et demande.

— Que se passe-t-il ?

— Rien. Hélas !

— T'as des problèmes ?

— Même pas !

Le chef Joncart suggère.

— Toi, t'as besoin de te refaire une santé morale. T'étais mieux avant. Quand tu buvais un peu moins.

— Et que ma femme vivait encore.

— J'ai pas dit ça !

— Je sais. C'est moi qui l'ai dit ! Je ne sais plus. Des fois ça me reprend. J'oublie pas. J'essaie pourtant. Et ce type qui de temps en temps vient me rappeler que je ne l'ai pas encore attrapé.

— C'est pas à toi de le faire. T'es pas enquêteur. Regarde où ça va te mener. Peut-être en prison parce que tu dépasses tes droits, tes obligations.

Je ne dis rien. Il a raison pour mon histoire. Le juge d'instruction va m'allumer. D'ici quelques mois il transmettra un dossier et je serai jugé. Alors, une fois de plus, je devrai tout expliquer en détail. Pourquoi je me suis lancé comme un sauvage sur la piste de Lucien Cauvin. Pourquoi j'ai failli le tuer.

Le chef Joncart ajoute.

— Et cette journaliste ?

— Je sais pas trop ! Elle me plaît bien. Elle m'aide à résister. Mais j'hésite à m'investir. Donne-moi quinze jours.

— Pour quoi faire ?

— Je dois emmener le chien Médor en thalasso. Il grossit. Il s'empâte.

— N'importe quoi ! Tu vas plutôt te remuer le cul.

— Merci ! Tu sais vraiment parler à tes hommes, toi. T'es un vrai chef.

— C'est ça ! Puisque t'es là, t'as qu'à faire ton boulot et garder le poste. Moi, je sors cinq minutes.

Le chef Joncart s'en va vérifier le niveau des tonneaux de Leffe au Cadran.

Muni d'un crayon, d'une feuille, j'organise les patrouilles pour les jours à venir. Il faut tenir compte de l'absence de Serge, de Georges, qui sont en congé. Je me creuse la tête. Je me dis qu'ils en ont rien à foutre de nous à la mairie. Neuf personnes pour une ville de cent mille habitants. C'est juste de l'esbroufe cette police municipale.

LE CORYPHÉE

Seul le chien Médor est là pour entendre ses récriminations. Max sait très bien que les policiers municipaux ne sont à l'origine qu'un outil électoraliste. Ils n'ont aucun pouvoir. Pourtant ils peuvent avoir leur utilité. Non pas pour ceux qui préfèrent les milices armées, mais pour la population du quartier qui peut voir en eux des interlocuteurs acceptables. Le sentiment de malaise des gens est bien réel. Et c'est d'abord parce que personne ne parle, n'échange. Surtout entre les jeunes et les adultes. Un père de famille ne doit pas dire plus de trois mots par jour à son môme. Il ne faut pas s'étonner qu'il aille chercher dehors la chaleur qu'il ne trouve pas chez lui. Et qu'il hurle dans les cages d'escalier.

Ainsi la rampante maladie, cette pandémie lépreuse, sournoise, se répand d'immeuble en immeuble.

Voilà que je pense comme Max maintenant !

LE HÉROS

Un peu avant seize heures, Willy sort d'un sac de sport un fer à repasser et le branche.

Grégoire, que la moindre activité non réglementaire dans le cadre de son travail de fonctionnaire territorial épuise d'avance, demande.

— Qu'est-ce que tu fabriques ?

— Je repasse mon uniforme.

— Pour le maire ?

— Non ! Pour ma femme ! Si elle apprend que je me suis fait inspecter avec une veste froissée, elle me tue d'un coup net.

Grégoire se moque.

— Elle est terrible ta femme !

— Je ne te le fais pas dire.

— Remarque, t'as raison ! Je repasserai le mien après toi.

Tous les gars de l'équipe se retrouvent en chemise. Willy repasse une à une les vestes d'uniforme des collègues. Marianne rigole. Joncart angoisse en vérifiant ses notes. Grégoire philosophe sur les mots fléchés du *Parisien.* Antoine mâche mécaniquement un chewing-gum. Jamais on n'a vu autant d'émulation dans ce poste de police.

*

Monsieur le maire arrive en retard.

Il doit être dix-sept heures trente. Il est accompagné de Juliette qui doit couvrir la visite pour son journal, de son directeur de cabinet, du responsable des services techniques, de l'adjoint aux finances, de l'adjoint au cadre de vie. Un type qui ne doit pas en foutre bien lourd, vu le cadre et vu la vie. Il y a même François avec son appareil photo.

Monsieur le maire jette un coup d'œil rapide au local de la police municipale en poussant des « très bien », des « parfait », de circonstance. Joncart fond littéralement. Le maire et sa suite enchaînent par un tour pédestre dans les environs proches. Ils visitent quelques halls d'immeuble. Le temps est gris, gris sale.

Les habitants délaissent leurs postes de télévision et se précipitent aux fenêtres pour voir le spectacle. Les gamins sont de plus en plus nombreux.

On peut entendre.

— C'est le maire !

— T'as vu sa gueule !

— Il a l'air d'un bouffon !

— À poil !

Le maire reste impassible. Il a du métier.

Je prends François à part.

— Qu'est-ce que tu fabriques ici ? T'es photographe politique, maintenant ?

— J'ai obtenu un engagement pour les photos officielles de notre bon maire.

— Tu lui craches à la gueule toute la journée mais tu ne refuses pas son pognon ! T'as vraiment aucune morale.

— Non ! Aucune. Mais ça paie bien. Tu dois savoir que *le spectacle est l'autre face de l'argent* !

François aime balancer à l'improviste des sentences néo-anarchistes.

Juliette s'approche avec un air contrit.

— Comment va monsieur le policier municipal ?

— Mal ! Très mal ! J'agonise.

— Que c'est triste un homme qui souffre !

François se retire.

Elle fait.

— Il est plutôt sympa ton ami photographe.

— Oui !

Je la regarde. Elle est jolie. Sa bouche semble danser quand elle parle. Ses yeux s'écarquillent, se contractent, comme pour m'enchanter.

LE CORYPHÉE

Pourtant Max pense à Christiane. À Christiane qui est morte. À Christiane qui ne reviendra pas.

Tu te fais souffrir parce que tu te complais à entretenir un vieux souvenir d'amour. Mais le temps ! Mais le temps ! Réagis ! Ne finis pas tes jours à lutter contre la vie. Fais quelque chose. Bouge ! Meurs pas ! Ressuscite !

Je lui lance un clin d'œil quasi lubrique.

— Tu viens manger ce soir ?

— Bonne idée ! Il faut qu'on discute un peu.

Cris.

Panique.

On se retourne.

Le maire vient de recevoir un sac-poubelle sur la tête. Il a été jeté d'un balcon. Toute la population de la cité hurle de rire. François, très discret, prend une série de photos de l'événement. Ça pourra servir un jour. *L'aliénation du spectateur au profit de l'objet contemplé.* Juliette s'approche. Elle se retient de se marrer.

Le directeur de cabinet lance.

— Pas d'interview. Pas de photo. C'est un épiphénomène à caractère ostentatoire dénué de symbolique demandante !

Il vient de recracher les meilleures lignes du manuel de secours de l'ÉNA.

Le chef Joncart, devenu pâle, propose.

— Regagnons le local.

On s'y précipite.

Le chef Joncart offre tous les mouchoirs qu'il peut trouver pour nettoyer le maire qui fait une sacrée gueule. J'observe sans intervenir. Ce n'est pas dans mon habitude d'aider l'autorité suprême. Les autres policiers municipaux sont restés à l'extérieur. Le poste affiche déjà complet.

Le maire lance.

— La politique est un rude métier. Il faut parfois s'y donner totalement.

Le directeur de cabinet prend Juliette à part afin de s'assurer de la discrétion du *Parisien*.

Le maire s'approche du chien Médor qui traîne en rond sur son coussin.

— Il est mignon ce petit chien !

Il tend sa main droite vers la tête du chien Médor. Je crains le pire. J'ai raison. Le chien Médor grogne. Le maire insiste. Le chien Médor, d'un geste vif, le fourbe, tente de mordre la main qui vient le déranger. Le maire a le réflexe de la retirer à temps.

Je fais.

— Il est capricieux. Excusez-le ! Il a mal dormi cette nuit.

— Moi aussi, j'ai mal dormi, et pourtant je ne tente pas de mordre les autres !

J'apprécie la repartie. Le maire grimpe d'un demi-degré dans mon échelle de valeurs personnelle. Mais il avait beaucoup de retard.

On boit un coup. Mousseux, bière, whisky.

Le discours.

— Messieurs de la police municipale. J'ai une bonne nouvelle pour vous !

Tous.

— Ah !

On s'approche. On attend avec angoisse. Surtout le chef Joncart dont le visage change de couleur à chaque instant. Passant sans prévenir du blanc au vert pâle, et du vert pâle au rouge délavé, qui est sa teinte de base.

Le maire embraye.

— J'apprécie votre travail. Vous reflétez parfaitement l'image de notre ville : fierté, dévotion, courage, abnégation. Je sais que vous manquez de moyens.

Tous.

— Oh oui !

Le chef Joncart sourit. Sa face devient cramoisie. Il va jouir. Je ne bronche pas.

Le maire poursuit sur sa lancée.

— C'est pourquoi la mairie va vous acheter des scooters et engager des agents d'ambiance urbaine, pour faciliter vos missions.

Silence trouble.

Murmures.

Le sourire du chef Joncart vire au rictus ! Il débande.

Antoine, qui s'est glissé près de moi, m'interroge.

— C'est quoi ça, les agents d'ambiance ?

J'explique.

— Des jeunes, mal payés, mal formés, chargés de faire traverser la rue aux gosses à la sortie des écoles. C'est pas cher, ça se voit bien de loin. Ce qui est un avantage à moins de deux ans des élections.

— Et les scooters ?

— Ne t'inquiète pas. En moins d'une semaine on nous les aura volées !

Le maire avoue.

— Bon ! J'en ai assez vu. Rentrons !

On se met en branle.

François me salue. Juliette m'embrasse discrètement sur la joue.

— À ce soir !

Elle s'en va.

Le maire, ses sbires, ses suivants quittent également le poste. Le quartier redevient calme.

Je conclus.

— Voilà une bonne chose de faite. On ne le revoit pas avant la campagne électorale !

Le chef Joncart réagit enfin, sa feuille de revendications à la main.

— Tu crois qu'on va obtenir quelque chose d'autre ?

— Ne rêve pas !

— C'est bien ce que je pensais.

*

Je fais de la cuisine. Des *macaroni terramare*. Une spécialité importée des Pouilles par mon père, quand ce dernier est venu faire le travailleur pour une France qui se reconstruisait. Il y a quarante ans. Un savant mélange de fruits de mer, de poivrons, de viande de porc. Verdi m'accompagne. *Un bal masqué*. L'ultime version de Karajan.

Amici miei...

Je coupe. Je tranche. Je cuisine pour Juliette. Notre relation est complexe. Faite de hauts, de bas, de fragile, d'amour. Je goûte. Je mélange. Le chien Médor tourne autour de moi en espérant attraper au passage des bouts de nourriture.

On sonne.

Le chien Médor aboie.

— Ouaf !

J'arrête la musique.

Dès que j'ouvre, Juliette entre. Le sourire aux yeux.

Elle sent bon d'un parfum qui souligne son corps. Je l'embrasse rapidement.

Elle embraye en se dévêtant.

— T'es au courant pour la vitrine du boulanger ?

— Quoi ?

— Y a des témoins qui disent que ce sont des jeunes dans une voiture.

— Faut se méfier des délateurs. En 1940, ils ont dit que c'étaient des Juifs. Viens au salon.

Je sers à boire. Vin blanc. Entre-deux-mers frappé. Je distribue des olives. Juliette gratte la tête du chien Médor. Je lance un disque. Erik Satie. *Œuvres pour piano*. Barbier au clavier. Une jouissance ludique et sentimentale.

Juliette entame avec impatience.

— Faut que je fasse un papier sur la violence à Marne-la-Vallée.

— Vaste programme.

— J'ai déjà un rendez-vous avec le commissaire et un autre avec le maire !

— T'auras pas grand-chose avec ces deux-là ! Ils vont minimiser les chiffres et te raconter des conneries. Pour les officiels de la police, il y a un problème quand il y a une plainte et une enquête. Sinon, c'est comme si rien ne s'était passé. Dans au moins un cas sur deux, personne ne parle, personne ne se plaint. Quant au maire, son intérêt c'est que tu racontes que tout va bien. Les élections approchent. Il a déjà assez de problèmes à gérer. Il ne veut pas de vagues.

— Personne ne le croira. Les gens s'en rendent bien compte.

— Tu sais, la violence, par ici, elle est diffuse, cachée, limitée. C'est plutôt rare, les vrais moments de férocité urbaine. Quelques poubelles qui brûlent. Quelques abribus détruits. Mais rien de plus. La situation n'est pas encore préoccupante. Il n'y a pas de zone de non-droit.

— En es-tu vraiment sûr ou cherches-tu à t'en convaincre ?

Je marque un temps. Je ne suis plus certain de grand-chose.

— Je t'accorde qu'il y a toujours une certaine tension, surtout quand des bandes ethniquement rivales veulent en découdre pour une gloire territoriale virtuelle ou le contrôle d'un bizness.

Elle insiste.

— J'ai parlé aux gens, dans la rue, au marché. La peur monte, progressivement. On vit moins bien qu'avant.

— Même si tu n'as pas tout à fait tort sur les sentiments des gens, il faut quand même faire attention. Les journalistes racontent n'importe quoi, du moment que l'on peut en tirer un gros titre, une image forte. La tendance est de croire comme vérité les vantardises des jeunes. La vraie délinquance, elle existe, mais ce n'est pas ça. Ce sont des groupes organisés qui trafiquent à grande échelle. Mais eux, ils ne veulent pas être dérangés. Alors ils font régner l'ordre. Chez nous, c'est plutôt rare. Il y a quelque chose de plus sournois qui s'est emparé des esprits et des immeubles. C'est difficile à expliquer.

— Et les rodéos, les combats de chiens, les dealers, la violence gratuite ? Tu trouves que ce n'est pas important ?

— Sans doute.

Elle ajoute.

— Et le tueur ?

Je ne dis rien. Je la regarde. Mon cœur palpite légèrement. Une douleur enfouie me gagne la poitrine. Je fais semblant de sourire.

— Le tueur ? Quel rapport avec la violence ?

Juliette, du regard, semble s'excuser d'en avoir parlé.

J'explique lentement.

— Il traîne quelque part. Il attend. Je sais qu'il va recommencer. Sans qu'on sache pourquoi, il y a quelque chose qui le réveille, qui le pousse à agir, jusqu'à ce qu'il soit apaisé. Alors il se rendort. Pour un temps indéterminé. Quelques jours, quelques semaines. À tout moment, il peut passer à l'acte, de nouveau.

Elle reprend pour faire diversion.

— J'ai l'intention de faire un papier sérieux, qui prenne en compte tous les points de vue. Il faudrait que je rencontre des jeunes. T'as pas une idée ?

— Pour quoi faire ? Ici, il n'y a pas trop de problèmes, tu ne vas pas en rajouter.

— Ce n'est pas une raison pour ne rien dire. Tu voudrais quand même pas faire le jeu de la mairie en minimisant tout ?

— Non. J'ai pas dit ça ! Mais je ne veux pas qu'il y ait de surenchère. On a des contacts, on fait un petit travail de fond. Grâce à l'îlotage. Grâce aux patrouilles. Même si c'est pas vraiment dans nos attributions. Je ne voudrais pas tout gâcher pour quelques lignes dans les journaux.

— Fais-moi confiance. Pour le moment, j'ai besoin de rencontrer quelques jeunes à la limite de la délinquance pour voir ce qu'ils ont dans le ventre.

— Tu crois qu'on va vouloir te rencontrer comme ça ? Grâce à ton sourire, à ta carte de presse ?

— Tu ne m'as pas dit que tu avais de bons contacts avec les jeunes ?

— Passons à table, si tu veux bien.

Nous mangeons.

Juliette me questionne. Sur la mairie. Sur la grève des éboueurs. Sur la police municipale. Elle ne peut pas s'empêcher d'être au courant de tout. Les bruits qui courent. Les faits divers. La préparation des élections municipales. Elle revient sur les jeunes. Elle insiste. Elle argumente. Je cède. Je céderai toujours. Je le sais bien.

Je dis.

— J'ai peut-être quelqu'un pour toi. Philippe Destouches. Je l'ai un peu aidé il y a quelque temps. Il me doit une faveur. Je l'ai placé dans un garage, rue de Paris. Avant il faisait le voyou. Il traînait à la limite du non-retour. Maintenant, il a l'air rangé. Il en donne l'apparence. Mais il doit avoir encore des liens avec les gars de son quartier ou d'ailleurs.

— Ils sont délicieux tes macaronis !

On arrive au dessert.

J'ai acheté un gâteau qui déborde de chocolat. Le chien Médor a droit à sa part. Je fais du café. Juliette contemple les derniers dessins que j'ai accrochés dans mon musée personnel et privé. Des esquisses, en noir, en gris.

Elle commente à voix haute.

— Si ton art reflète ton âme, tu évolues dangereusement !

Je ne réponds pas.

Elle ajoute.

— Que dis-tu pour ta défense ?

— Rien ! Il faut que je sorte le chien Médor. Tu m'accompagnes ?

— Non ! Je t'attends ici ! Je vais desservir un peu.

LE CHŒUR

Paul. La décision est douloureuse à prendre. Trois ans déjà qu'il tourne, tournicote, dans son minable, misérable, studio. Les meubles ont été vendus. Il lui reste une table, une chaise, un lit pliable, une armoire. Brisé par le chômage, épuisé d'ennui, de désœuvrement, il a passé la soirée à contempler l'avis d'échéance. Quatre mille six cents francs à dénicher avant la fin de la semaine. Ce n'est pas vraiment une grosse somme, mais lui, il ne survit plus que du RMI. Depuis qu'il a perdu son boulot, il ne vit plus. Du gâchis, du hachis humain. Il fait des efforts pour résister. Chaque matin il se lève alors qu'il pourrait continuer de dormir. Chaque matin il se rase alors qu'il pourrait se laisser aller. Qui lui ferait des reproches ? Personne. Surtout pas sa femme. Elle est partie. Un matin. Sans rien dire. Il ne lui en a pas voulu. Qui voudrait partager la dérive d'un tel homme ? Un homme qui n'est plus grand-chose. Un peu de chair, de sang, d'esprit. Plus grand-chose.

La solution est là. Il n'a plus le choix. Encore faut-il oser agir. Il prend dans l'unique armoire le pistolet. Pistolet d'alarme. Acquis par hasard, il y a plusieurs années. Pour quoi déjà ? Oui ! Pour faire fuir la racaille. Parfois, il se dit qu'il aurait dû en acheter un vrai et se tirer une balle en pleine tête. Pan ! Pour signer par le sang, sanglant, l'arrêt définitif de son existence.

Il sort de son immeuble. Il marche quelques centaines de mètres en direction de l'hôtel de France. Pour eux, ça ne changera pas grand-chose. Il se le répète sans cesse. Pour eux, ça ne changera pas grand-chose. Pour s'en convaincre. Pour eux, ça ne changera pas grand-chose. Mais pour lui, ça changera tout. La ville est déserte. Seules des poubelles occupent les trottoirs. Lentement, son estomac se noue. Il sent une nausée monter, s'élever, en lui. Il continue de marcher. Ses pas résonnent lourdement. Un bruit. Un mouvement. Il se raidit. Il aperçoit quelqu'un qui fait pisser un petit chien. Il avance. Leurs regards se croisent, se décroisent de gêne.

Il marche quelques dizaines mètres encore puis tourne à droite. Il se dit que c'est trop idiot. Que ce type racontera aux policiers qu'il l'a croisé. Autant renoncer. Il fait le tour du pâté de maisons. Il rentre chez lui. Il se jette sur son lit, donne des coups de poing rageurs dans son oreiller, se met à pleurer, à pleurer et à crier son pitoyable désespoir.

LE HÉROS

Juliette n'est plus là. Elle a laissé un mot sur un morceau de papier. *Je suis crevée. Je suis rentrée. Demain je me lève tôt. Pardonne-moi. Je t'embrasse.* Je chiffonne le papier. Je le balance à la poubelle. Je mets un disque. Bach. *La Passion selon saint Matthieu.* Trois heures durant, avec Gustav Leonhardt et le chien Médor allongé à mes pieds, je me lamente sur le sort du Christ. Et sur le mien.

LE CHŒUR

Mme Françon. Elle se lève. Son mari ronfle, ronfle encore. Dans la cuisine elle se fait un thé. Un thé au lait. Suivant un rite bien précis. Ce n'est pas à cinquante-six ans qu'elle va changer ses habitudes.

Ensuite elle prépare le petit-déjeuner de son mari. Un café léger, des tartines au beurre salé.

Elle va le réveiller. Il grimace. Comme chaque matin. Il ne lui reste que trente minutes avant de prendre son bus qui le conduira au RER qui le conduira au métro qui le conduira au bureau.

Elle lui prépare ses affaires pendant qu'il se lave.

En silence. Ils ne se disent plus rien. Trente ans qu'ils sont mariés. Ils se sont déjà tout dit.

Il s'en va en l'embrassant machinalement sur le front.

Mme Françon restera seule jusqu'au soir. Leurs deux enfants n'habitent plus ici.

Après son ménage, ses courses, elle aura du temps pour ne rien faire.

Plutôt que de réagir, de lutter, contre cette absence de vie, d'envie, elle a préféré se donner dévotement à la religion. Elle fait partie de ces irréductibles qui persistent à se rendre le dimanche à l'église et qui s'occupent du catéchisme. Elle n'espère plus rien sauf le salut éternel.

LE HÉROS

Je me pointe au poste avec ma tête des mauvais jours. Mal réveillé, mal rasé, mal aimé. On le remarque. On ne dit rien. On fait semblant d'être indifférent.

On analyse, on interprète, tous ensemble, l'évolution de la grève des éboueurs.

Le chef Joncart consulte un manuel de droit public.

Je constate. Il manque quelqu'un.

J'interroge.

— Robert n'est pas là ?

Antoine répond.

— Non ! Il n'est pas venu ce matin.

— Il n'a pas téléphoné ?

— Non ! Il doit être malade.

J'appelle chez Robert. En ce moment, il est de l'équipe du matin. La sonnerie retentit dans le vide.

J'ordonne.

— Antoine, cet après-midi, tu prendras sa place pour la patrouille. Joncart, si cela ne te dérange pas trop, tu pourras répondre au téléphone ?

Le chef Joncart marmonne.

— Oui !

Je suis contrarié. C'est pas dans les habitudes de Robert d'oublier de prévenir. Au contraire, pour Robert, le service passe avant tout.

Willy, Marianne, ils reviennent de la patrouille pédestre.

Je demande.

— Rien à signaler ?

— Non ! On est allés voir le boulanger qui s'est fait défoncer la vitrine. Il gueule contre la mairie, contre la police, contre l'État. Il va faire installer des plots en béton devant sa boutique.

Marianne ajoute.

— Et il va acheter un fusil.

J'ironise.

— Parfait. Qu'il fasse régner l'ordre à coups de fusil. Qu'ils le fassent tous !

Et je donne de la voix.

— Moi, j'en ai rien à foutre !

Silence dans le poste.

Le chef Joncart intervient.

— Faudrait songer à te calmer, j'arrive pas à me concentrer ! Si t'as des problèmes, c'est pas la peine de t'en prendre à l'équipe !

Je ne réponds pas.

Willy, Marianne, Antoine, ils en profitent pour sortir et se rendre à la cantine. Le chien Médor s'en va faire un tour à l'extérieur. Grégoire revient de la mairie avec une copie des derniers arrêtés municipaux.

Je m'installe.

Je lis trois fois l'article de Juliette sur la visite du maire. Elle brosse la municipalité dans le sens du poil. Cette fille a de l'avenir dans le journalisme politique.

Le téléphone sonne.

Je décroche. C'est Mangin.

Il me demande d'une voix trouble.

— Vous pouvez passer au commissariat ?

— Pourquoi ?

— C'est à propos de votre collègue. Robert Duchamp !

Je m'inquiète.

— Il y a un problème avec Robert ?

Je sens que Mangin hésite.

— Oui ! Un gros problème.

— Il n'a rien ?

— Non ! Mais venez. C'est lui qui me l'a demandé.

J'explique la situation au chef Joncart. Je saute dans ma voiture.

*

Au commissariat, Mangin vient à ma rencontre. Il me conduit à son bureau.

Je m'assois. Je questionne.

— Qu'est-ce qui se passe ? Où est Robert ?

Mangin cherche ses mots.

— Votre collègue a, semble-t-il, commis l'irréparable.

— Quoi ?

— Hier soir, il a tué un homme.

— Robert ? Robert Duchamp ? Vous êtes certain ?

— Il faut croire ! Il est venu se livrer peu après le meurtre !

Je m'étonne. Je doute. Je m'insurge.

— C'est pas possible. Je le connais bien. Jamais il n'aurait pu faire ça.

— Je ne sais pas ! Mais il a avoué et donné de nombreux détails. On a retrouvé un fusil chez lui.

— Qui est-ce ?

— Walter Claessen. Un médecin.

— Je connais pas.

— Ils étaient amants !

J'essaie de raisonner.

— C'est pas possible ! Pourquoi aurait-il fait ça ? Ce n'est pas logique.

— C'est un peu compliqué. Ça ressemble à un crime passionnel !

Je marque un temps. Mes neurones se bousculent entre eux.

— Qu'attendez-vous de moi ?

— Rien. En fait c'est lui qui a demandé à vous voir. J'ai accepté parce que c'était vous.

— Est-ce possible ?

— Plus maintenant. Le juge d'instruction vient de téléphoner. Il veut l'interroger. On le transfère au tribunal. Mais je lui dirai que vous êtes passé. Ça lui fera plaisir.

— Bien !

Je me lève. Mes jambes tremblent, s'agitent, me soutiennent avec peine. Je manque d'air.

Mangin termine, en me rassurant.

— Revenez demain. Ce sera mieux demain.

Je sors.

Pâle et pâteux.

Je me dirige vers le bar le plus proche. J'ai besoin d'un remontant. J'accuse le coup. Je commande un cognac que j'avale d'un trait. Puis un deuxième qui prend le même chemin. L'alcool commence à produire son effet. Je sens une douce chaleur me gagner les joues.

Je lance, à haute voix, sans m'en rendre compte.

— Qu'est-ce qu'il a foutu, ce con ? Mais qu'est-ce qu'il a foutu ?

Le serveur s'approche, demande.

— Un problème ?

— Non ! Excusez-moi.

Je paye. Je sors.

Je passe chez Chang.

J'achète une bouteille de mauvais whisky. Chang exprime comme une réprimande. Mais à l'orientale. Toute en sous-entendus silencieux.

Je me dirige chez Juliette.

Je sonne.

Personne ne répond.

Je m'en vais.

Jamais je n'ai senti la lèpre aussi proche de m'engloutir.

J'arrive à la péniche. François n'est pas là. Je m'installe. J'ai un travail en cours. Un tableau pour une exposition organisée par le centre culturel de Marne-la-Vallée. Il y a un responsable qui pour une fois n'est pas trop con. L'exposition est dans son ensemble plutôt conceptuelle, mais moi je tente une envolée lyrique.

LE CORYPHÉE

Max travaille. La toile se forme, se déforme, se reforme sous ses gestes nerveux, inspirés. Une illusion picturale pleine de recoins sombres et d'échos du malheur. Il s'y perd lui-même. Petit à petit la bouteille de whisky se vide. Il pense à Nicolas de Staël. Le maître de l'abstraction qui s'est balancé du haut des remparts d'Antibes, pour échapper à ses angoisses.

François se pointe et me surprend.

— T'es pas au boulot ?

Je reviens au monde, l'air fatigué.

— Non, j'ai démissionné !

J'avale une gorgée d'alcool à même la bouteille.

— Arrête tes conneries ! Qu'est-ce qui se passe ?

Je lui raconte l'affaire de Robert et de son amant.

François commente.

— Putain d'histoire ! Mais c'est pas une raison pour t'abrutir comme ça. La bouteille, la petite déprime, l'air sombre. La moindre merde, le moindre ennui, et tu replonges. Le nihilisme fin de siècle n'est plus à la mode.

— Tu ne comprends pas !

— Qu'est-ce que tu racontes, mon vieux ? Robert, c'est un prétexte pour plonger. Comme ta femme. Comme la petite Aurore. Tu refuses d'assumer ta propre existence. Tu fais semblant de te noyer, car tu veux qu'on t'aide, qu'on te jette une bouée. Mais personne ne t'aidera.

— J'avais soif !

— Mon cul ! Tu sais que j'ai raison !

François attrape son sac de reportage et s'apprête à repartir.

— Qu'est-ce tu fais ?

— J'ai du boulot !

Le photographe quitte la péniche.

Je lui lance à la volée.

— J'ai pas besoin de tes petites leçons de morale !

Mais François ne m'a pas entendu.

Je finis d'un coup la bouteille. Par provocation. Comme un con. Malheureux.

Provocation contre qui ? contre quoi ? Il a peut-être raison, François. C'est un peu facile, le coup du flic qui s'arsouille pour s'échapper du monde. C'est bon pour les romans.

Mais non ! C'est pour la lutte. L'alcool est un antibiotique contre la lèpre qui ronge.

Je gueule un bon coup, comme pour me réveiller.

— Ah !

LE CORYPHÉE

C'est ça. Hurle ! Hurle ! Mais il n'y a personne pour t'entendre. Tu prends conscience qu'autour de toi tout s'efface, tout disparaît, tout s'envole. Tu te retrouves de plus en plus seul. Même Juliette, elle s'éloigne. Ils sont où les autres ? Les autres, c'est toi ! Uniquement.

LE HÉROS

Je me souviens avoir oublié le chien Médor au poste. Il faudra que je passe chez Antoine pour le récupérer. Je reprends mes pinceaux. Je me replonge dans mes mirages picturaux.

LE CHŒUR

Graziella. Elle traverse la place cimentée, pénètre dans le couloir, ouvre la porte. Le soir, elle nettoie un local qui appartient aux services techniques de la mairie.

Il l'a suivie. Par hasard. Il l'a croisée. Il était assis sur un banc. Elle est passée. Son visage lumineux, sa silhouette gracile, gracieuse, l'ont touché en plein cœur. Il s'est mis à trembler. C'est *Elle* !

Elle ne fait pas trop attention. Déjà, elle vide les cendriers. Elle n'a pas beaucoup de temps.

Il s'est glissé en silence dans le couloir. Il s'est placé dans un angle. Il écoute.

Elle chantonne. Elle remplit un seau d'eau, ajoute du détergent. Elle l'aperçoit. Un homme ? Ici ? Comment est-il entré ? Elle a dû mal refermer la porte.

Elle demande.

— Que faites-vous là ? C'est interdit, vous savez !

Il ne répond pas. Il s'avance. Sa bouche est ouverte. Ses lèvres palpitent.

Elle hésite.

Alors il accélère le pas. Il se précipite vers elle.

Son corps frissonne. Elle sent le danger. Elle attrape le seau, lui lance à la figure.

Il pousse un cri. Il est presque aveuglé.

Graziella ne réfléchit plus. Elle fait un pas de côté.

Il jette ses bras en avant, au hasard. Personne.

Elle longe le mur, tandis qu'il s'essuie le visage. Elle traverse la salle. Elle sort du local.

Il pousse un autre cri, une plainte lugubre.

Elle ne l'entend déjà plus. Elle court. Elle fuit.

*

Une place devant le RER.

— Ce gars-là, en survêtement, c'est David. Il a tourné racaille sous l'influence des autres. On était à l'école ensemble !

— Et toi ? Sous quelle influence tu as mal tourné ?

— Moi ? Je sais pas.

Juliette est dans sa voiture, une Alfa Romeo, avec Philippe Destouches. Il est plus de vingt heures. Juliette constate la déprimante horreur de la place mal bétonnée où ils se trouvent. Autour, des cubes, des rectangles, comme un mauvais jeu de construction préfabriqué. Plus laids les uns que les autres. Plutôt que de gémir, on devrait s'insurger contre ça ! L'inconscience, la malveillance des décideurs s'observe ici. Sur cette place lugubre de cette ville presque morte. Les honnêtes travailleurs ont déjà rejoint leur domicile. Une autre population, interlope, salope, commence à occuper la gare de Marne-la-Vallée.

David attend debout. Il joue avec sa casquette.

Juliette demande.

— Qu'est-ce qu'il fait ?

— Il attend.

— Il attend quoi ?

— Rien ! Personne ! Il traîne. Il soutient le mur. La plupart d'entre eux attendent pour attendre. Il verra peut-être un pote ou une meuf. Ça l'occupera quelques minutes. Ou alors il attend pour un plan.

— Un plan ? Quel genre de plan ?

— Une refourgue ou de la beuh.

— David, il fait partie des violents ?

— Plus ou moins, ça dépend. Quand il est seul, il est plutôt cool. En bande, c'est un vrai chien.

— Allons le voir !

Philippe doute.

— Vous êtes sûre ?

— Absolument.

— Dans ce cas, laissez-moi faire. Chez nous, on n'aime pas trop les étrangers.

Philippe sort, s'avance en direction de David. Ils se saluent, se parlent. De temps en temps, David jette des coups d'œil en direction de Juliette.

Philippe revient.

Elle interroge.

— Alors ?

— Il est d'accord pour vous rencontrer avec ses autres potes.

— Qui ça ?

— Deux autres gars, Abdel et Sélim. Ils sont pas pires, mais ils sont pas mieux.

— Où ça ?

— Ici, demain soir. Après vingt-trois heures. Mais moi, je vous le déconseille. Ou alors, venez avec des renforts. Des fois, ils sont pas nets.

— Je n'ai pas peur.

— Vous savez, ils n'ont pas beaucoup de respect pour les femmes.

— Je m'en sortirai !

Juliette imagine déjà le titre. *Avec les terreurs de Marne-la-Vallée !*

*

Paul. Il sort avec une petite bouteille de gin dans une poche, le pistolet d'alarme dans une autre. Cette fois ce sera la bonne. Il faut en finir. Il n'a plus rien à perdre sauf ce cauchemar au goût de cendre.

Il doit être un peu plus de minuit quand il se présente devant l'entrée de l'hôtel de France. Il avale une grande lampée de gin pour se donner plus de courage. L'alcool calme son estomac qui veut rendre l'unique repas qu'il a pris. Un plat de patates à l'eau, une tranche de jambon, une pomme encore verte. La porte est fermée. Il faut un code après vingt-deux heures. Il aurait dû le savoir. Il a dormi dans tellement d'hôtels, du temps où il travaillait encore. Quand il faisait le VRP multicartes pour une société de services.

Il se dit.

— Tu te fais vieux !

Mais il n'a que cinquante ans.

Il sonne par deux fois sur le bouton d'alarme.

Le gardien de nuit apparaît.

— Qu'est-ce que c'est ?

Paul bafouille.

— J'ai oublié le code… dans ma chambre…

Le gardien sort d'un début de sommeil. Il ne fait pas de difficulté pour ouvrir.

Paul s'excuse.

— Je suis désolé de vous déranger.

— Ce n'est rien !

Paul l'observe deux secondes. Il est jeune. Un étudiant, probablement. Il sort son arme d'un geste maladroit.

Il ordonne.

— Les mains en l'air !

Le gardien est trop surpris pour réagir.

— Que faites-vous ?

— J'ai dit les mains en l'air. Et reculez un peu !

Le gardien s'exécute lentement. Il ne comprend pas. Mais l'homme paraît menaçant.

Paul demande d'un ton sec.

— Où est l'argent ?

— L'argent ? Quel argent ? Mais il n'y en a pas. Ou alors très peu. Tout le monde paie avec une carte de crédit.

— Il doit y avoir une petite caisse ou quelque chose dans le genre pour ceux qui viennent baiser discrètement ! Où est-elle ?

Le gardien, au bord de la panique, désigne le comptoir de la main.

— Là ! Là ! Il y a une caisse.

— Donnez-la-moi !

Le gardien passe derrière le comptoir en veillant à ne pas faire de gestes trop brusques. Ses mains tremblent un peu. Des gouttes de sueur gagnent son front. Il sort la boîte métallique.

— La voilà ! Elle est fermée. Je n'ai pas les clés.

— Donnez-la-moi. Et reculez !

Paul s'approche du comptoir, tandis que le gardien s'en éloigne. Il pose son arme.

Il constate à voix haute.

— Ce ne doit pas être compliqué d'ouvrir ce truc-là !

Il tente de la forcer. Il sort même ses propres clés. La caisse résiste. Il s'énerve. Il ne fait plus attention au gardien. Celui-ci attend le moment propice. Alors il se précipite sur l'arme posée. Il l'attrape.

Et il ordonne.

— Ne bougez plus ! Ne bougez plus !

— Quoi !

— J'ai dit, ne bougez plus, ou je vous tire dessus.

Paul reste calme. Le gardien pointe l'arme dans sa direction.

— Mais je ne crains rien ! Je ne crains rien ! Ce n'est pas un vrai pistolet.

— Qu'est-ce que vous racontez ?

— C'est un pistolet d'alarme. Presque un jouet. Pour faire peur.

Le gardien s'agite. Les mains, les bras.

— Je ne vous crois pas ! Je ne vous crois pas !

— Comme vous voudrez.

Paul recule en direction de la porte. Sans précipitation. Le gardien vise, tire au sol. Une détonation jaillit. Sans aucun autre effet.

— Merde !

— Vous voyez. Je suis désolé. C'est un pistolet d'alarme. Pour faire peur !

Paul ouvre violemment la porte d'entrée. Il s'enfuit en courant. Le gardien attrape le combiné téléphonique et compose le numéro du commissariat.

Il dit rapidement.

— Ici l'hôtel de France… je suis le gardien de nuit… j'ai été victime d'une attaque… à main armée. Un homme… pas très grand… cinquante ans… il s'est enfui à pied.

LE HÉROS

J'arrive au poste vers neuf heures.

Je suis resté à la péniche. Je n'ai presque pas dormi de la nuit. Le chef Joncart est là. Antoine est là. Grégoire est là. Je suis accueilli par le chien Médor.

Je raconte l'histoire de Robert.

On m'écoute. On se désole sincèrement.

Je conclus.

— Faut que je retourne au commissariat.

Le chef Joncart comprend. Le chef, ce n'est pas un mauvais bougre. Il n'est pas brillant mais il a du cœur. Que demander de plus à un type qui arrive en fin de carrière avec le grade suprême de chef de la police municipale de Marne-la-Vallée ? Il a passé plus de vingt ans dans l'armée, en Afrique, et dix ans dans cette banlieue qui est loin de ressembler à la savane.

Je sors du poste avec le chien Médor. Je monte dans ma DS 21. Je roule. J'arrive.

Mangin est là. Je veux voir Robert.

Mangin m'y autorise.

— Mais avant, il faut qu'on parle d'autre chose.

Il sort un dossier.

— Voici la plainte d'une jeune femme. Elle a été victime d'une tentative d'agression.

— Et alors ?

— Regardez la description.

Je commence à lire.

— Graziella Falcone ?

— Oui !

— Je la connais. C'est notre femme de ménage.

Je poursuis : *Un homme. Taille moyenne. Dégarni. Cinquante ans. Un peu gras.*

— Merde !

— Je ne vous le fais pas dire. Qu'en pensez-vous ?

Je termine ma lecture.

Je conclus.

— Elle a eu de la chance.

— Oui ! Beaucoup de chance.

— Je pense qu'il va recommencer. Il est dans sa phase active. Il va recommencer. Sans doute très rapidement. Il faut qu'on fasse quelque chose.

— J'ai déjà demandé des renforts. On va mettre en place une dizaine d'équipes dans des voitures banalisées. Mais la ville est vaste.

— Vous avez un plan avec les emplacement des meurtres ?

— Bien sûr !

Il sort, déplie une grande carte de Marne-la-Vallée. Des ronds, des carrés, des numéros, ont été ajoutés dessus. Les carrés pour les lieux de découverte des corps. Les ronds pour les lieux de rencontre probables avec l'assassin. Les numéros pour les dates.

J'observe longuement la carte. J'y ajoute mentalement le lieu de l'agression de Graziella. Un rond.

Je fais.

— Il agit toujours le soir ou la nuit. Les lieux de rencontre sont autour du centre-ville et les lieux d'exposition des corps plutôt à la périphérie.

— Oui ! Mais ce n'est valable que pour les corps découverts en extérieur.

— Je pense qu'il doit chercher ses victimes dans le centre. Non loin de chez lui. Il doit habiter dans le centre. À mon avis, c'est là que vous devez concentrer vos voitures.

— Oui !

— J'irai patrouiller, moi aussi.

— Je vous le déconseille. Il est peut-être dangereux.

— Je ne pense pas. Il n'est jamais armé. De toute façon, je ne pourrai pas attendre chez moi. Il faut que je participe à cette chasse. Maintenant, je peux voir Robert ?

— Je vous accompagne.

J'apprécie Mangin. Il y a de l'humain dans ce personnage de flic de banlieue. Une gueule discrète, un port de costume élégant, de la compassion pour les victimes et les criminels. C'est pas toujours leur faute, aime-t-il à dire. Pour lui, les vrais criminels sont dans les conseils d'administration des grandes multinationales.

Je passe devant les cellules de détention provisoire. Dans la première se trouvent deux jeunes gars. Ils ne font pas les malins. Un vol de scooter, une vague agression. Dans la seconde est assis un homme d'une cinquantaine d'années. Prostré, accablé, replié sur lui-même. J'ai déjà vu ce type.

Je demande à Mangin.

— Qui est-ce ?

— C'est un pauvre gars qui a été arrêté hier soir. Il a tenté d'attaquer un hôtel avec un pistolet d'alarme. Il a pris la fuite à pied. En pleine nuit, dans Marne-la-Vallée, un homme à pied, c'est pas très discret. La brigade de nuit l'a vite retrouvé.

Je l'observe. L'homme est le désarroi même. Une loque oubliée de tous.

Dans la troisième il y a Jeannot le poivrot. Sa barbe est plus sale que jamais. Mangin m'explique qu'il s'est battu avec sa femme et qu'il est mieux ici que chez lui. Je n'en doute pas.

Enfin, on arrive devant la cellule de Robert.

À travers la vitre, je l'observe. Il est assis. Les bras repliés. Il ne bouge pas.

Mangin ouvre. J'entre. Robert sourit tristement.

Mangin précise.

— Je vous laisse. Je reviens dans dix minutes.

Je m'approche de lui.

— Alors ! Qu'est-ce que tu as fabriqué ?

Robert hésite.

— J'ai...

— C'est toi qui as tué le médecin ?

— Oui !

— C'est pas possible !

— C'est pourtant la vérité !

— Pourquoi ? Pourquoi, nom de Dieu ?

— C'est une longue, très longue histoire.

— Tu as dix minutes pour te confesser.

— Je ne cherche pas l'absolution.

— Tu ne l'auras pas !

Robert ferme un instant les yeux et se lance.

— J'ai rencontré Walter il y a plus de six ans. Il était marié. Mais ce fut un coup de foudre. Tu comprends ? Il était beau, brillant.

J'acquiesce mais je ne dis rien.

Robert poursuit.

— Je n'étais pas encore à Marne-la-Vallée. C'était dans une autre banlieue. La première fois, on a échangé des regards. Il avait de la famille dans le coin où je travaillais. Le hasard. On s'est revus une autre fois. Encore le hasard. On a un peu parlé. On a eu une relation assez rapidement. J'ai demandé un changement de poste. Walter habitait Marne-la-Vallée. Je suis venu ici pour lui.

Je m'adosse au mur. Il ne me regarde pas. Son regard semble poursuivre un insecte invisible qui glisserait sur le sol.

Il continue son récit.

— C'était assez exceptionnel comme relation. Puis c'est devenu un peu plus orageux. Il a divorcé, mais nous n'habitions pas ensemble. Il a pris un autre amant. J'en ai pris un autre à mon tour. Par défi. Nous nous sommes quittés puis retrouvés puis quittés à nouveau, sans qu'on sache vraiment ce qu'on voulait. C'est moi qui ai craqué le premier. Souviens-toi, il y a deux ans, quand j'ai obtenu quatre mois de congé sans solde.

J'ose répondre.

— Oui !

— En fait, j'étais en dépression. Dans une maison de repos, dans le Sud. Je ne voulais plus le voir. Ni entendre parler de lui. Il est quand même venu me rejoindre. Peu après, il s'enfuyait à nouveau. J'ai résisté au choc. Et il y a quelques mois, il est réapparu. Comme si de rien n'était. Il voulait que l'on se retrouve. Je ne voulais pas. Mais j'ai cédé.

— Et il est parti.

— Oui ! Une fois de plus. Une fois de trop. C'était il y a une semaine. Je n'ai pas supporté qu'il me rejette, qu'il m'abandonne. Ma vie est devenue d'un coup pesante. J'étais malade de cette situation. Je n'ai jamais cessé de l'aimer. Alors j'ai pris la décision de rompre définitivement. C'était lui ou moi.

Silence.

Je baisse les yeux. Mal à l'aise.

— Max, je n'en pouvais plus. Tu peux me comprendre ? Je ne voulais plus que cela recommence. Toute ma vie, j'ai fait preuve de détachement. Mais là, il n'y avait rien d'autre à faire.

Oui ! Je peux le comprendre mais je ne réagis pas.

On entend des pas dans le couloir.

— Il va falloir que je te laisse !

Robert ne répond pas. La porte s'ouvre. Je sors de la cellule sans lui jeter un regard. Mangin referme.

Il me demande, tandis que nous marchons.

— Alors ?

— Rien ! C'est une histoire d'amour qui a plutôt mal fini. Il a quelques circonstances atténuantes.

— Il sera transféré demain matin à la prison de Melun.

— Oui ! Bien sûr. Robert dormira en prison, tandis que l'autre court toujours. Je comprends plus rien !

Mangin ne répond pas. On se sépare.

Je m'en vais faire un tour. Quelque nulle part.

Il souffre.

Son corps n'est qu'une douleur confuse. Son esprit, tout entier, est bousculé, fouetté, lacéré, par son échec. Son sexe le brûle, l'enflamme. Tout se mélange. Les visages, tous les visages, l'accusent.

Elle le rejette. *Elle* le moque.

Il *La* déteste, plus que jamais.

Il se force à respirer. Il se reprend. Il sait qu'en devenant un habitué du mal, ses sens lui échappent. Il ne contrôle plus grand-chose. Mais ce n'est pas une raison pour souffrir. Sa détresse doit être combattue.

Il se reprend. Il a du travail. On l'attend. Il faut continuer à être, paraître, normal.

Il sort rapidement, précipitamment, de chez lui.

*

Parking avec voitures.

— C'est quoi ce plan ?

— C'est Philippe qui m'a dit qu'elle était cool. Elle veut prendre des photos et voir un peu la zone où qu'on vit.

— Qu'est-ce qu'on s'en branle de ta journaliste ! C'est des merdeux. Ton plan, il est relou. T'as pas capté qu'on doit être discrets pour notre bizness ?

— C'est juste pour se marrer. Mais si y a un blème, on s'esquive. Et puis, j'ai rien promis !

Sélim signale.

— Moi j'veux ma face dans le journal.

— Toi, tu prends la tête.

— J't'encule. Mon cousin, il a eu sa face dans *Le Parisien*. Moi aussi j'veux la mienne.
— Z'êtes relous les keums. J'fais équipe avec des zéros.
— Quoi ? Y a rien d'mal. La vie d'ma mère.
— On l'encule ta mère.
— J'vais t'marave la gueule ! Tu laisses ma mère tranquille.
— Avec ton fauteuil, tu vas rien faire du tout.
— Calmez-vous. Putain ! Z'êtes jobars ! Si c'est pas bon comme plan, on y va pas. En attendant, on bouge. On va se taper un billard.

Ils montent dans la Fuego, démarrent, roulent à fond dans une rue en sens interdit. On est rebelle comme on peut.

LE HÉROS

Je tourne dans la ville depuis trois heures. Chaque rue. Chaque maison. Chaque immeuble. Rien. Pas un souffle, pas une odeur de sa présence. Où es-tu ? Où te caches-tu ? Attends-moi, j'arrive !

Je m'accorde une pause.

*

Au Paradise, c'est le désert.

Je m'installe au comptoir.

Moussa, dès qu'il me voit, il lance.
— Non, monsieur ! Il n'est pas revenu.
— Je sais, mon garçon, je sais. File-moi un bourbon, pour changer.

Moussa prépare, m'apporte la boisson.

Il me demande.

— Vous êtes sur une autre affaire ?

— Non ! Je suis au chômage technique.

— Dans ce cas j'aurai peut-être quelque chose pour vous. Mon propriétaire, il fait des opérations bien bizarres.

— Laisse tomber ! J'suis ici pour me détendre. Et puis tes renseignements ne sont pas toujours à la hauteur.

— Je vois ! Mais vous avez raison d'être venu aujourd'hui ! Y a un spectacle.

Je demande, en sifflant d'un coup mon verre.

— Quel genre de spectacle ?

— C'est un choix du patron. D'abord un comique imitateur, ensuite une fille qui se met toute nue.

— Dans ce cas je reste ! Sers-moi un deuxième verre.

— Faudra attendre un peu. Le spectacle ne commence que s'il y a du monde.

Je suis seul. J'attends. Je vide trois autres verres en discutant avec Moussa. Il me raconte le Mali.

Trois étudiants, un couple et deux hommes seuls sont venus faire le public. On entend une musique de cirque. La lumière baisse progressivement. Le spectacle va commencer. Un type chauve à moustache fait son apparition sur un semblant de scène. On sent le professionnel de l'humour. D'un coup, il jauge son public, se lance dans des histoires qui font à peine glousser les étudiants. Le type se fait appeler Polo le Rigolo, mais ce doit être un pseudonyme. J'aurais dû venir avec le chien Médor. Il aurait peut-être ri. En fin de compte, Polo le Rigolo laisse la place à une rousse en tenue de majorette. La musique vire au sirop. Les étudiants tapent mollement des mains. Un jeu de lumière très au point donne un semblant de vie au spectacle. Progressivement, lentement, douloureusement, la rousse se dévêt de son uniforme, puis de son string pour ne garder que ses bottes et son chapeau. Les étudiants ricanent. C'est pitoyable ! La rousse quitte la scène, l'air désespérée d'être en vie, le cul à l'air.

Moussa demande.

— C'était bien ?

Je grogne.

— Jamais vu mieux !

Je quitte le Paradise. Je ne suis plus trop frais. Dionysos s'est bien occupé de moi.

Je fais une démonstration de conduite rapide en état d'ivresse. Le chien Médor s'agrippe comme il peut. Il tremble des dents.

J'arrive chez Juliette. Il doit être autour de vingt-trois heures. Je sonne. Elle ouvre.

Elle fait un drôle d'air.

— Ah ! C'est toi ? Qu'est-ce que tu fais là ?

— Je passais pour te voir. T'as pas l'air ravie.

— C'est que tu tombes mal. Je sors pour un reportage. J'attends François, ton ami photographe. On doit rencontrer des jeunes.

— Je comprends.

— Max ! Tu pues l'alcool !

— Qu'est-ce que tu racontes ?

— T'as fait le con ?

— Bon ! Faut que j'y aille.

— Où ça ?

Je ne réponds pas.

Je quitte l'immeuble de Juliette. Je remonte dans ma voiture. Je reste de longues minutes la tête sur le volant. Puis je démarre. Jusqu'au bordel de Marne-la-Vallée.

Je sonne. Une jeune fille ouvre. Une petite brune fortement maquillée.

Je ne me présente pas.
— Je viens voir Fatima !
Elle hésite.
— Elle est occupée !
— C'est pas grave. J'attendrai !
Je pénètre dans l'appartement. J'arrive dans le salon sous le regard de la jeune fille. Je vais directement au bar. Je me sers un whisky.
Je demande.
— Vous voulez quelques chose ?
— Non !
— Vous êtes nouvelle ?
— Oui !
Je suis dans un état second. Je sens que je vais dire des conneries.
— Ça vous plaît comme boulot ?
Elle se révolte.
— Comme boulot ? Parce que se faire enculer par des cadres pas très dynamiques, renifler la gueule puante et l'odeur fétide de vieux vicelards, sucer des bites mal lavées, ça peut plaire à quelqu'un ?
Je rougis de honte.
— Excusez-moi !
Silence.
Je bois pour me donner une contenance.
Elle reprend plus calmement.
— Non ! C'est moi ! Je me suis emportée. Vous devez vous douter que je fais ça parce que je n'ai pas d'autre choix. Il me faut de l'argent pour payer un chien de fonctionnaire qui va me donner une saloperie de papier pour rester dans ce pays de merde.
— Vous êtes algérienne ?

— Oui ! J'étais infirmière à Bab-el-Oued, un quartier d'Alger. Ma sœur s'est fait égorger. Elle était institutrice. Elle refusait de porter le voile. Alors, un soir, ils l'ont attrapée, ils l'ont violée, ils lui ont tranché la gorge comme un mouton de l'Aïd. Le lendemain j'ai pris mon sac et, avec mes économies, j'ai payé un passeur pour l'Italie. J'ai atterri ici. Fatima, elle est bonne avec nous. Mais elle ne fait pas de cadeau. Faut payer en nature, avec son cul.

LE CORYPHÉE

Max, regarde-toi ! Tu te fumes la tronche à coups d'alcool. Tu poses des questions débiles à une pauvre fille. Tu traînes dans ta bagnole ne sachant que faire de ta carcasse. Tu médites sur la vacuité de ta vie. Tout ça parce que Robert a descendu son amant à coups de fusil. Tout ça parce qu'une jeune fille que tu as renversée est toujours dans le coma. Tout ça parce que tu n'as pas retrouvé le meurtrier de Christiane. C'est le destin cruel, la fatalité silencieuse, cette force inconnue qui régit le monde. Tu n'y peux rien. Tu as vraiment vite fait de te laisser déborder par la vie. Tu n'es pas un roc. Tu n'es qu'un sable mouvant. Tu te répands.

LE HÉROS

Fatima entre dans le salon. Un type la suit. En m'apercevant, il détourne la tête et sort précipitamment. Je glousse de plaisir.

Fatima enchaîne.

— Max, *mi amor* ! Qu'est-ce que tu fabriques là ?

— Je traîne et je cause avec mademoiselle. Je croyais que tu ne travaillais plus personnellement !
— C'est vrai ! Sauf pour les clients spéciaux.
— Et le maire, c'est un client spécial.
— Très spécial. Je lui fais mes spécialités et il ferme l'œil sur mon commerce.
— Tu le fais chanter ?
— Non ! Nous nous faisons confiance.
— C'est donc un type honnête.
— Plutôt. Et toi, qu'est-ce que tu deviens ?
— *Niente.*

LE CHŒUR

Juliette, François, ils attendent depuis plus d'une heure dans la voiture.
Il interroge.
— T'es certaine qu'ils vont venir ?
— J'espère.
Silence aigu.
François tripote son appareil photo.
Juliette pense déjà à son article. François, on peut lui faire confiance. Il semble efficace. En temps normal, Juliette fait elle-même ses photos, mais là, en pleine nuit, dans des conditions difficiles, il valait mieux prendre un vrai photographe. Celui du *Parisien* n'était pas libre. Elle a pensé à lui.
Elle demande en le regardant.
— T'es assez bizarre comme type. J'arrive pas trop à te cerner.
— C'est parce que tu ne me regardes pas assez.

— Possible ! Je te connais un peu et Max m'a pas mal parlé de toi. Il t'aime bien.

François ne répond pas. Juliette se met à penser à Max. Elle se fait des reproches. S'il a bu, c'est qu'il est mal. Elle se dit qu'elle n'aurait pas dû le rejeter comme ça.

François met fin aux songes de Juliette.

— Les voilà !

Une Renault Fuego vient d'apparaître. Juliette fait des appels de phare. La Fuego se porte à leur hauteur. Juliette reconnaît David assis sur la banquette arrière.

Le conducteur parle.

— C'est toi la journaliste ?

— Oui !

— Et l'autre, c'est qui ?

— Le photographe. C'est indispensable.

— Mouais !

— Y a un problème ?

— Aucun !

Le conducteur regarde ses deux compagnons.

Il reprend.

— Bon ! Vous voulez mater du spectacle de la zone ? Z'avez qu'à nous suivre.

LE HÉROS

Je sors de chez Fatima.

Elle m'a reconforté. J'ai fait le point. Le tueur. J'y retourne. Il doit m'attendre. Il ne peut faire autrement. Mais avant, il y a Juliette.

J'arrive chez elle. Je tambourine à la porte. Personne. Que faire ? Je remonte dans ma voiture. Déjà la sueur moite mon cou, mes mains. Le chien Médor, toujours assis à l'arrière, garde le silence.

Je m'en veux maintenant. Je n'ai pas réagi tout à l'heure. J'étais trop embrumé par les vapeurs de l'alcool. Juliette, en pleine nuit, avec François, parmi les voyous. Y a des risques, pas mal de risques.

Le tueur ? Attends-moi ! J'arrive. J'arrive.

Je démarre.

Dans les rues la grève continue. Les poubelles s'entassent toujours plus haut. Des sacs d'ordures, des cartons éventrés, des effluves écœurants jonchent Marne-la-Vallée. La mairie a tenté un coup de force en faisant appel à la concurrence. Mais les éboueurs sont restés vigilants.

LE CHŒUR

François fait quelques photos des trois minables petits voyous.

Ils ont atterri dans un parking. Ils sont sortis. Il y en a un qui roule en fauteuil et les deux autres qui gesticulent.

Juliette pose des questions sur leurs motivations.

— Qu'est-ce tu crois ? C'est le cash qui nous motive. On veut pas faire les galériens comme nos vieux. Tu penses que je vais me faire chier pour sept mille par mois ? C'est ce que je peux m'faire en deux-trois jours.

— Et la prison ?

— Pas de blème. On est jeunes. On n'a pas de casier. On risque quelques mois. C'est tout. Après on revient dans la cité et on est des caïds. T'as capté, la journaliste ?

Juliette fait un signe de la tête. Elle enchaîne sur la musique.

Ils répondent.

— Le rap, le hip-hop, le groove, c'est trop fort. Ils font des bruits et des sons. Ça vient des States. Là-bas, c'est des violents. Ils ont la haine, comme nous. Mais eux, faut pas les chercher. Ils ripostent !

Abdel fait des gestes, imitant avec ses mains le tir au pistolet.

— Pan ! Pan ! Pan !

Juliette demande.

— Vous avez la haine ? Contre quoi ?

— Contre tout, les keufs, tout ça !

Abdel annonce.

— Maintenant, c'est feu d'artifice.

Il sort un bidon d'essence, en verse le contenu sur une voiture prise au hasard sur le parking presque déserté. Il balance une allumette. La voiture s'enflamme.

Il ordonne.

— Vas-y le photographe. Ce soir, c'est la teuf !

Les trois lascars rigolent comme des tordus ! François shoote sans enthousiasme. Juliette médite sur l'état de la société.

David ordonne.

— Faut qu'on aille voir ailleurs ! les condés vont rappliquer. Pour les appeler, y a toujours un enculé qui dort pas.

LE HÉROS

Je sonne chez la famille Destouches.

Après quelques secondes d'attente une voix rugueuse lance à travers la porte.

— Qu'est-ce que c'est ce bordel ?

— Je dois parler avec Philippe.
— Z'êtes pas bien, il est plus de minuit.
— C'est grave ! C'est urgent ! C'est important !
J'entends des pas s'éloigner, puis le silence, puis d'autres pas revenir.
La porte s'ouvre.
C'est Philippe. Presque nu.
Je débite à grande vitesse.
— Philippe ! Il faut que tu me dises où se trouve Juliette. La journaliste.
La gueule blanche, noyée de sommeil, Philippe s'étonne.
— Quoi ? Qui ? La journaliste ? J'en sais rien, moi !
— Fais un effort ! Avec qui elle avait rendez-vous ?
— Euh ! Avec David et ses potes. C'était au RER. Mais après, ils devaient bouger. Et j'sais pas où !
— Et ils traînent dans quel coin, ces gars-là ?
— Dans leur cité du Luzard.
— Putain ! T'aurais pu trouver autre chose qu'une équipe du Luzard !
— C'est elle qui voulait des voyous ! J'l'avais prévenue.
Je regagne ma voiture. Direction le Luzard. Un quartier HLM plutôt difficile. La mairie a fait construire en face une bibliothèque. Mais la culture n'a pas réussi à terrasser le mal. La moitié des bouquins a fini en autodafé. C'était l'hiver. La lèpre agissait déjà.

LE CHŒUR

Ils arrivent sur un chantier à moitié abandonné.
David pousse le fauteuil de Sélim. Le reste de la troupe suit en évitant les morceaux de ferraille qui jonchent le sol.

Le promoteur a été mis en examen pour avoir employé des clandestins. Depuis, les travaux se sont arrêtés.

Ils pénètrent dans une baraque. Ça sent le chat crevé, la pisse froide. Un lampadaire éclaire de loin la scène.

Juliette demande.

— Qu'est-ce qu'on fait ici ?

— On va discuter entre potes !

Juliette est prise d'un doute.

Sélim a apporté un lecteur-cassette qui crache un rap de merde.

Viens dans ma cité,
y a des lascars,
qui sont excités,
comme des bâtards.

Abdel roule un joint.

David tient la porte.

Juliette indique.

— Alors, on va peut-être vous laisser entre vous.

— Qu'est-ce que tu nous racontes ? T'es pas contente de notre hospitalité ?

— Si ! Bien sûr ! Mais j'ai assez d'infos pour mon article.

— Y en a jamais assez des infos. Maintenant, on va te montrer de la vraie réalité.

François précise.

— Moi, j'ai assez de photos !

— Qu'est-ce qu'il nous bave, le photomaton ?

— Rien ! On va juste vous laisser continuer votre soirée.

Abdel s'avance vers François. François recule un peu, mais la pièce est réduite. Il se trouve bloqué par le mur en tôle. Abdel lui arrache l'appareil photo des mains et le balance par terre.

François, rendu fou furieux, hurle.

— Connard ! T'es pas bien ?

— Quoi ? T'insultes ma race ?

Abdel lui balance un coup de pied direct dans le génitoire. François s'effondre. Abdel l'ajuste à nouveau. Le photographe se prend un autre coup de pied, mais en pleine tête. Il sombre, la gueule en sang.

Sélim rigole. Juliette crie. David lui met la main sur la bouche.

Il jubile.

— Maintenant on va rigoler un peu avec toi, salope de journaliste. Comme ça t'auras des trucs à raconter. Du style *Comment j'me suis fait niquer par des lascars* ! Si tu veux, on prend des photos à la place de l'autre bâtard !

Abdel s'approche. Ensemble, ils la traînent dans un coin. Sélim, du fond de son fauteuil, les encourage en battant des mains. Elle pousse des cris suraigus. Le lecteur-cassette continue de balancer sa soupe. David déchire le pull de Juliette.

Il s'extasie.

— Chouf le sous-tif ! Une vraie salope cette meuf. Ça va être le grand kif ! J'y passe le premier !

Juliette se débat. Abdel la tient ferme. David commence à lui retirer son pantalon. Il est gêné. Elle gesticule.

Il lui colle une baffe en expliquant.

— Tu t'calmes ou j'te refais la face à coups de cutter !

LE HÉROS

J'entends des cris, de la musique.

Je pousse la porte de la baraque. J'investis la place, une barre à mine trouvée par terre dans les mains.

Je constate. Trois types, dont un qui roule en fauteuil. Juliette qui gémit. François qui ne bouge pas. Les types réagissent lentement.

— Qu'est-ce que c'est ?

— Y a un keum !

Je gueule.

— Debout là-dedans ! Vous dégagez d'ici ou j'éclate tellement vos petites gueules que vos mères ne pourront pas vous reconnaître à la morgue.

Les trois gars hésitent.

L'un d'eux sort un cutter.

J'en perçois le reflet.

— Joue pas au malin, toi ! J'ai pas de pitié pour les minables !

Je fais tournoyer mon arme. Des gestes vifs. J'imagine le choc du métal sur la boîte crânienne. Crac ! Une furieuse envie de les massacrer m'arrive aux yeux. Ils me regardent. Je suis sûr qu'ils voient de la haine, de la folie, dans mon regard. Je repense au pharmacien. Je fais tournoyer mon arme. Des gestes lents.

Je me dégage de l'entrée pour leur permettre de passer. L'un d'eux remonte son pantalon. L'autre attrape les poignées du fauteuil du troisième. Ils s'avancent lentement, lentement. Je les observe. Ils m'observent. Je sens la panique qui les assaille quand ils passent près de moi. Enfin ils sortent, prennent la fuite, en balançant des injures. Je me précipite sur Juliette. Elle est choquée. Des larmes de rage ont fait couler son maquillage.

Je demande.

— Tu vas bien ?

— Y a eu mieux ! T'es un peu en retard !

— Désolé ! J'ai tourné un bon moment. Et j'ai reconnu ta voiture.

— Merci !

— Pour une fois que je sauve quelqu'un !

Elle demande, inquiète.

— Comment va François ?

Je jette un coup d'œil.

— Il respire !

Je soulève Juliette délicatement. Elle se tient droite et rajuste ses vêtements déchirés. Puis je prends François sur mes épaules. Nous sortons du chantier. La Fuego a disparu. Les pneus de la voiture de Juliette ont tous été crevés.

Elle constate.

— La vengeance des minables.

— J'ai garé la mienne un peu plus loin. De toute façon, ils sont trop cons. On retrouvera facilement le type en fauteuil roulant.

Je les ramène chez moi.

La route est sombre. La ville est sombre. La nuit est sombre. Le temps manque. La lèpre gagne. Tout me semble gâté, pourri, vicié. Il faut réagir avant que Marne-la-Vallée ne s'enfonce sous une mer de pus, de sang noir.

Sur le chemin, François émerge.

— Qu'est-ce qui se passe ?

Juliette lui glisse à l'oreille.

— Rien ! Un mauvais rêve !

Il sombre à nouveau.

— On l'installera dans la chambre d'amis.

*

Ils dorment tous les deux. Je sors. Je roule tout le reste de la nuit. Je croise les voitures banalisées. Personne d'autre. Où es-tu ?

À l'aube, je rentre me coucher.

*

Je suis réveillé par le téléphone. Il doit être dix heures. Juliette n'a rien entendu.

Je décroche.

— Oui !

C'est Mangin.

— Vite ! Venez au poste.

— Quoi ?

— Venez vite, si vous voulez être dans le coup. On a un nouveau témoin.

— Un témoin ? Pour quoi ?

— Le meurtrier de votre femme.

— Vous en êtes certain ?

— Y a de grandes chances.

— J'arrive. J'arrive. Attendez-moi !

— C'est ce que je fais !

Je raccroche. Je récapitule. Je me précipite. Je m'habille. Je sors sans prendre le temps d'avaler un café.

Que se passe-t-il ce matin ? Bruit, fureur. Les camions des éboueurs sont au travail. La mairie a cédé.

J'arrive au commissariat.

Mangin m'accueille dans son bureau.

— Venez par ici !

Il me conduit dans une petite pièce tout en m'expliquant.

— Les patrouilles n'ont rien remarqué cette nuit, mais on a quelqu'un. Une femme. Elle est venue nous voir ce matin. La voilà ! Mme Françon, pouvez-vous raconter, une fois de plus, ce qui vous est arrivé hier ?

Une petite dame d'une cinquantaine d'années se retourne vers moi. Elle porte des lunettes, des cheveux déjà blancs, blanc teinté.

Elle commence en souriant timidement.

— Voilà ! Comme je l'ai déjà dit, j'ai hésité à venir. J'ai eu peur. Je ne savais pas si j'étais pécheresse.

Elle parle en gardant ses yeux fixés sur ses mains. Des mains qui se tordent.

Elle poursuit son récit.

— J'étais à confesse. J'y vais une fois par semaine. Et puis, en sortant de l'église, je m'aperçois que la porte du presbytère, qui est juste à côté de l'église, est ouverte. Un oubli, ou bien le vent. Plutôt que d'aller déranger monsieur le curé, je vais moi-même la fermer. Mais là, j'ai été un peu trop curieuse. J'ai voulu voir comment il vivait notre curé. Je suis entrée. C'est alors que j'ai vu toutes ces choses horribles dans le bureau.

— Quelles choses horribles ?

— Les portraits.

— Les portraits ? Quels portraits ?

Elle me jette un regard plein d'étonnement.

— Mais ceux de la Vierge Marie, bien sûr.

Elle fait un signe de croix.

Mangin reste impassible.

Elle ajoute.

— Il y en avait sur tous les murs. Un vrai sacrilège. Mon Dieu ! Tous les visages étaient découpés, déchirés. Je suis sortie toute confuse et j'ai refermé la porte. Toute la nuit j'y ai pensé. Je suis venue ce matin parce que mon mari me l'a conseillé. Il ne supportait pas de me voir inquiète. Et il m'a dit que peut-être monsieur le curé était un peu fou. C'est qu'il n'est pas beaucoup croyant, mon mari. Alors je suis venue vous voir. Vous pensez que c'est grave ?

Je regarde Mangin. Lui aussi a fait le lien entre les visages lacérés des madones et les visages défoncés des victimes.

Je demande.

— Et le portrait-robot ?

Mangin prend la parole.

— Mme Françon a confirmé qu'avec des lunettes il ressemblait assez au curé de Marne-la-Vallée. Un certain Pierre d'Orville.

— C'est pas possible !

— Quoi ?

— C'est lui qui a enterré Christiane.

*

C'est Mangin qui conduit.

Avec nous, il y a deux autres OPJ, Krief et Boltansky. Et derrière, dans une seconde voiture, trois policiers en uniforme.

Gyrophare au vent, nous traversons tout Marne-la-Vallée. La pression monte. Mon cœur s'emballe. Nos deux voitures se garent de travers sur le parking. Tout le monde sort. L'église de Marne-la-Vallée, un cube tronqué, éclairé par un vitrail moderne, avec, au-dessus, une croix stylisée. Le presbytère, une petite construction allongée, n'est qu'à quelques mètres. Mangin ordonne aux deux OPJ de passer par-derrière. Il sort son arme. Les policiers l'imitent. On s'approche de la porte. Elle est fermée à clé.

Mangin frappe.

Il crie.

— Police ! Ouvrez cette porte ! Police !

Personne ne répond.

Il prend son élan. D'un coup de pied, il défonce la porte. Le bois craque, le verrou cède.

On entre.

Il y a un petit hall qui précède une salle plus vaste.

Mangin hurle.

— Police. Y a quelqu'un ?

Rien. Personne.

On avance.

Dans la salle, tout en longueur, un grand bureau, un canapé, une petite table. Les murs sont recouverts par des madones aux visages défigurés, lacérés. Il y en a une bonne dizaine. Des reproductions. Je reconnais celle de Lorenzo Lotto, celle de Fra Angelico. Au fond, deux autres portes.

C'est alors qu'on entend deux grands cris. Comme des douleurs révoltées.

On se précipite.

Mangin indique.

— À droite !

On avance.

La porte s'ouvre facilement.

Sur le sol nu d'une chambre, un homme est allongé sur le dos.

Il gesticule. Il supplie.

— *Elle* me regarde. *Elle* me juge. *Elle* ne m'aime pas. Je ne veux plus *La* voir !

Il tient à la main un couteau.

Son visage est en sang.
Il s'est crevé les deux yeux.

LE CHŒUR

Quand le gardien-chef Dancourt, de la prison de Melun, regarde à l'intérieur de la cellule de Robert Duchamp pour une visite de routine, il le découvre mort. Pendu. Déjà bleu. Il a fait une sorte de corde avec sa chemise.

LE HÉROS

Je me rends à l'hôpital. Pour dire à quelqu'un, ce sera la petite Aurore, que j'ai réussi. Je croise un couple d'une cinquantaine d'années en pleurs. J'ai comme un sale pressentiment.
Je me précipite vers la chambre 147.
La chambre est vide.
J'attrape une infirmière qui passe.
— Savez-vous où se trouve la jeune fille qui était là ?
Elle fait machinalement.
— Décédée. Cette nuit !
Elle continue son chemin.
Vide. Néant. Le tunnel qui revient.

LE CORYPHÉE

Non ! Il ne faut pas que tu t'effondres. D'autres corps, d'autres morts, d'autres maux viendront t'écraser. Alors, tu vas sortir d'ici. Tu vas prendre un peu l'air. Tu vas respirer. Toi, tu es encore vivant. Au pas de charge, la tête dans les étoiles, le corps en liesse, tu vas profiter du temps qu'il te reste. Il n'y a que ça à faire avant de mourir car enfin tu comprends !

Tu comprends que Christiane, Aurore, et même Robert, ils ont été sacrifiés pour toi. Sur l'autel de l'hécatombe, tu absorbes la chair, le sang des victimes.

Comme Dionysos, tu remontes des enfers.

Comme lui, ton ivresse de vivre, même sans espérance, doit se libérer.

Mais d'abord, détourne-toi de Marne-la-Vallée. Va où la vie ressemble à la vie.

LE HÉROS

J'avance au hasard. Je ne sais plus quoi penser.

J'arrive devant l'entrée de l'hôpital. Dans le ciel, des nuages s'éloignent.

J'aperçois le chien Médor qui court dans ma direction, sur ses petites pattes.

— Qu'est-ce que tu fais là ?

— Ouaf !

Je vois Juliette.

Elle attend.

Je marche vers elle.

Elle me dit.

— Je suis venue en taxi.

— Comment as-tu su ?

— Le chien Médor.

Je la regarde. Je dis lentement.

— Elle est morte !

Elle se désole. Elle me réconforte.

— Faut pas t'en vouloir !

Elle ajoute délicatement.

— Viens ! On passe chez moi et après je t'emmène à la mer. Tu as besoin de respirer !

Je reste silencieux.

Elle m'embrasse, me tire par la main.

Au loin, j'aperçois les murs de la ville. Des rayons clairs s'en échappent. La lèpre urbaine semble reculer.

SÉRIE NOIRE

Dernières parutions :

2470. — BERLIN L'ENCHANTEUR .... *Colonel Durruti*
2471. — TREIZE RESTE RAIDE .... *René Merle*
2472. — LE VEILLEUR .... *James Preston Girard*
2473. — LE SALTIMBANQUE .... *Julien Sarfati*
2474. — LA CRYPTE .... *Roger Facon*
2475. — DIALOGUES DE MORTS .... *Philippe Isard*
2476. — LE CHENIL DES FLICS PERDUS .... *Philippe Isard*
2477. — CHAPEAU ! .... *Michèle Rozenfarb*
2478. — L'ANARCHISTE DE CHICAGO .... *Jürgen Alberts*
2479. — BROUILLARD SUR MANNHEIM .... *B. Schlink et W. Popp*
2480. — HARJUNPÄÄ ET LE FILS DU POLICIER....... *Matti Yrjänä Joensuu*
2481. — PITBULL .... *Pierre Bourgeade*
2482. — LE JOUR DU LOUP .... *Carlo Lucarelli*
2483. — CUL-DE-SAC .... *Douglas Kennedy*
2484. — BRANLE-BAS AU 87....................... *Ed Mc Bain*
2485. — LA VIE EN SPIRALE...................... *Abasse Ndione*
2486. — SORCELLERIE À BOUT PORTANT............. *Achille F. Ngoye*
2487. — AVIS DÉCHÉANCE......................... *Mouloud Akkouche*
2488. — UN BAISER SANS MOUSTACHE .... *Catherine Simon*
2489. — MOLOCH................................. *Thierry Jonquet*
2490. — LA BALLADE DE KOUSKI................... *Thierry Crifo*
2491. — LE PARADIS TROIS FOIS PAR JOUR .... *Mauricio Electorat*
2492. — TROIS P'TITES NUITS ET PUIS S'EN VONT .... *Nicoletta Vallorani*
2493. — LA PENTE .... *M.A. Pellerin*
2494. — LA VÉRITÉ DE L'ALLIGATOR............... *Massimo Carlotto*
2495. — ÉTUDE EN VIOLET .... *Maria Antonia Oliver*
2496. — ANTIPODES.............................. *Maria Antonia Oliver*
2497. — FLOUZE................................. *Ed Mc Bain*
2498. — L'ÉPOUSE ÉGYPTIENNE .... *Nino Filasto*
2499. — BARCELONA CONNECTION .... *Andreu Martin*
2500. — SOLEA.................................. *Jean-Claude Izzo*
2501. — MONSIEUR ÉMILE......................... *Nadine Monfils*
2502. — LE TUEUR .... *Frémion*
2503. — ROUTE STORY............................ *Joseph Bialot*
2504. — RAILS .... *Vincent Meyer*
2505. — LA NUIT DU DESTIN...................... *Christian Gernigon*
2506. — ADIEU COUSINE........................... *Ed McBain*
2507. — LA SCOUMOUNE........................... *José Giovanni*
2508. — HOMME INCONNU N° 89.................... *Elmore Leonard*
2509. — LE TROU .... *José Giovanni*
2510. — CAUCHEMAR .... *David Goodis*

2511. — ÉROS ET THALASSO .... *Chantal Pelletier*
2512. — ZONES D'OMBRE .... *J. Dutey & Jane Sautière*
2513. — CADAVRES .... *François Barcelo*
2514. — CHATS DE GOUTTIÈRE .... *Rolo Diez*
2515. — L'ÉNERVÉ DE LA GÂCHETTE .... *Ed McBain*
2516. — ÉQUIPE DE NUIT .... *M.J. Naudy*
2517. — CONFESSION INFERNALE .... *Michel Tarou*
2518. — CASINO MOON .... *Peter Blauner*
2519. — LA BICYCLETTE DE LA VIOLENCE .... *Colin Bateman*
2520. — FISSURE .... *Francis Ryck*
2521. — UN MATIN DE CHIEN .... *Christopher Brookmyre*
2522. — AU PLUS BAS DES HAUTES SOLITUDES .... *Don Winslow*
2523. — ACID QUEEN .... *Nicholas Blincoe*
2524. — CONSENTEMENT ÉCLAIRÉ .... *Serge Preuss*
2525. — LES ARDOISES DE LA MÉMOIRE .... *Mouloud Akkouche*
2526. — LE FRÈRE PERDU .... *Rick Bennet*
2527. — DANS LA VALLÉE DE L'OMBRE DE LA MORT . *Kirk Mitchell*
2528. — TÉLÉPHONE ROSE .... *Pierre Bourgeade*
2529. — CODE 6 .... *Jack Gantos*
2530. — TULAROSA .... *Michael McGarrity*
2531. — UN BLUES DE COYOTE .... *Christopher Moore*
2532. — LARCHMÜTZ 5632 .... *Jean-Bernard Pouy*
2533. — LES CRIMES DE VAN GOGH .... *José Pablo Feinmann*
2534. — À CONTRE-COURANT DU GRAND TOBOGGAN *Don Winslow*
2535. — FAMINE .... *Todd Komarnicki*
2536. — LE ROI DU K.O. .... *Harry Crews*
2537. — UNE ÉTERNELLE SAISON .... *Don Keith*
2538. — TÉMOIN DE LA VÉRITÉ .... *Paul Lindsay*
2539. — DUR À FUIR .... *Patrick Quinn*
2540. — ÇA FAIT UNE PAYE ! .... *Ed McBain*
2541. — REMONTÉE D'ÉGOUT .... *Carlos Sampayo*
2542. — DADDY COOL .... *Donald Goines*
2543. — LA SANTÉ PAR LES PLANTES .... *Francis Mizio*
2544. — LE BANDIT MEXICAIN ET LE COCHON ...... *James Crumley*
2545. — PUTAIN DE DIMANCHE .... *Pierre Willi*
2546. — L'ŒIL MORT .... *Jean-Marie Villemot*
2547. — MOI, LES PARAPLUIES .... *François Barcelo*
2548. — ENCORE UN JOUR AU PARADIS .... *Eddie Little*
2549. — CARTE BLANCHE *suivi de* L'ÉTÉ TROUBLE... *Carlo Lucarelli*
2550. — DODO .... *Sylvie Granotier*
2551. — LOVELY RITA .... *Benjamin Legrand*
2552. — DÉPEÇAGE EN VILLE .... *Bernard Mathieu*
2553. — LE SENS DE L'EAU .... *Juan Sasturain*
2554. — PRESQUE NULLE PART .... *Summer Brenner*
2555. — VIA DELLE OCHE .... *Carlo Lucarelli*
2556. — CHIENS ET LOUVES .... *Jean-Pierre Perrin*
2557. — HARJUNPÄÄ ET LES LOIS DE L'AMOUR ..... *Matti Yrjänä Joensuu*

2558. — BAROUD D'HONNEUR .... *Stephen Solomita*
2559. — SOUPE AUX LÉGUMES .... *Bruno Gambarotta*
2560. — TERMINUS NUIT .... *Patrick Pécherot*
2561. — NOYADE AU DÉSERT..................... *Don Winslow*
2562. — L'ARBRE À BOUTEILLES .... *Joe R. Lansdale*
2563. — À FLEUR DE SANG .... *Robert Skinner*
2564. — RETOUR AU PAYS .... *Jamie Harrison*
2565. — L'ENFER À ROULETTES .... *Daniel Evan Weiss*
2566. — LE BIKER DE TROIE .... *A.A. Attanasio et Robert S. Henderson*
2567. — LA FIANCÉE DE ZORRO .... *Nicoletta Vallorani*
2568. — UNE SIMPLE QUESTION D'EXCÉDENT DE BLÉ .... *Nicholas Blincoe*
2569. — LE PARADIS DES FOUS .... *Virion Graçi*
2570. — FEUER ET FLAMINGO.................... *Norbert Klugmann*
2571. — BLEU MISTRAL, La ballade d'un Yougo (t. 1) . *Vladan Radoman*
2572. — LA VESTALE À PAILLETTES D'ALUALU...... *Christopher Moore*
2573. — LA MORT FAIT MAL .... *Michel Embareck*
2574. — MARGINALIA .... *Hosmany Ramos*
2575. — NE CRIE PAS .... *Roseback & Ricardo Montserrat*
2576. — ORPHELIN DE MER *suivi de* 6, RUE BONAPARTE, La ballade d'un Yougo (t. 2)......... *Vladan Radoman*
2577. — LA COMMUNE DES MINOTS............... *Cédric Fabre*
2578. — LE CHANT DU BOUC...................... *Chantal Pelletier*
2579. — LA VANITÉ DES PIONS .... *Pascale Fonteneau*
2580. — GANGSTA RAP .... *Marc Villard*
2581. — CŒUR DE GLACE .... *Doug Allyn*
2582. — UN HIVER À MANNHEIM .... *Bernard Schlink*
2583. — ERRANCE .... *Lawrance Block*
2584. — LE FAUCON VA MOURIR.................. *Harry Crews*
2585. — UN ÉTÉ JAPONAIS...................... *Romain Slocombe*
2586. — N'OUBLIE PAS D'AVOIR PEUR .... *Marc-Alfred Pellerin*
2587. — SÉRAIL KILLERS........................ *Lakhdar Belaid*
2588. — LONG FEU .... *Olivier Douyère*
2589. — CHIENS SALES .... *François Barcelo*
2590. — LES ACHARNÉS.......................... *Jean-Marie Souillot*
2591. — PECCATA MUNDI .... *Annelise Roux*
2592. — LE MAMBO DES DEUX OURS............... *Joe R. Lansdale*
2593. — VAGABONDAGES .... *Michèle Rozenfarb*
2594. — LE TANGO DE L'HOMME DE PAILLE .... *Vicente Battista*
2595. — PÉRIPHÉRIQUE BLUES .... *Jeanne Gamonet*
2596. — HARJUNPÄÄ ET L'HOMME-OISEAU .... *Matti Yrjänä Joensuu*
2597. — LA CHAIR DES DIEUX................... *Martine Azoulai*
2598. — RIEN NE BRÛLE EN ENFER............... *Philip José Farmer*
2599. — LA HOTTE .... *Vincent Meyer*
2600. — LA NUIT DES ROSES NOIRES .... *Nino Filastò*

2601. — DANSE DE DEUIL .... *Kirk Mitchell*
2602. — FAUT QU'ÇA CHANGE .... *Serge Preuss*
2603. — LE CONDOR .... *Stig Holmås*
2604. — L'AUTRUCHE DE MANHATTAN.............. *Colin Bateman*
2605. — LA MUSIQUE DES CIRCONSTANCES .... *John Straley*
2606. — LES BROUILLARDS DE LA BUTTE .... *Patrick Pécherot*
2607. — LA CINQUIÈME AFFAIRE DE THOMAS RIBE .. *Øystein Lønn*
2608. — L'AGONIE BIEN EMPLOYÉE D'EIGHTBALL BARNETT............................... *Henry Joseph*
2609. — PARIS PARIAS .... *Thierry Crifo*
2610. — LE ROYAUME DES AVEUGLES .... *Christopher Brookmyre*
2611. — FEU DE PRAIRIE .... *Jamie Harrison*
2612. — COPYRIGHT .... *Hervé Le Corre*
2613. — LE ROSAIRE DE LA DOULEUR .... *Michel Embareck*
2614. — GO BY GO .... *Jon A. Jackson*
2615. — TIR AUX PIGEONS...................... *James Crumley*
2616. — LES ROUBIGNOLES DU DESTIN .... *Jean-Bernard Pouy*
2617. — BRUME DE PRINTEMPS .... *Romain Slocombe*
2618. — BALLET NOIR À CHÂTEAU-ROUGE .... *Achille F. Ngoye*
2619. — UNE COUVERTURE PARFAITE .... *Linda Chase et Joyce St. George*
2620. — LE BOUT DU MONDE .... *Collectif*
2621. — 12, RUE MECKERT...................... *Didier Daeninckx*
2622. — TROUBLES FÊTES .... *Chantal Pelletier*
2623. — LE NŒUD GORDIEN .... *Bernhard Schlink*
2624. — POUSSIÈRE DU DÉSERT .... *Rolo Diez*
2625. — EN AVANT LES SINGES ! .... *Pierre Bourgeade*
2626. — L'ENNUI EST UNE FEMME À BARBE .... *François Barcelo*
2627. — COMME UN TROU DANS LA TÊTE .... *Jen Banbury*
2628. — FRANCONVILLE, BÂTIMENT B............. *Gilles Bornais*
2629. — LE PÉCHÉ OU QUELQUE CHOSE D'APPROCHANT............................... *Francisco González Ledesma*
2630. — JUSTICE BLANCHE, MISÈRE NOIRE .... *Donald Goines*
2631. — LE MOUCHARD.......................... *Dmitri Stakhov*
2632. — NOËL AU BALCON .... *Colin Thibert*
2633. — EL INFILTRADO........................ *Jaime Collyer*
2634. — L'HOMME AU RASOIR..................... *Andreu Martin*
2635. — LE PROBLÈME AUX YEUX DE CHAT......... *Robert Skinner*
2636. — SANG ET TONNERRE .... *Max Allan Collins*
2637. — LA D'JUNGLE .... *Blaise Giuliani*
2638. — LES FANTÔMES DE SAÏGON............... *John Maddox Roberts*
2639. — ON PEUT TOUJOURS RECYCLER LES ORDURES *Hélène Crié-Wiesner*
2640. — L'IVRESSE DES DIEUX .... *Laurent Martin*
2641. — KOUTY, MÉMOIRE DE SANG .... *Aïda Mady Diallo*
2642. — TAKFIR SENTINELLE .... *Lakhdar Belaïd*

Composition Nord Compo.
Reproduit et achevé d'imprimer sur Roto-Page
par l'Imprimerie Floch à Mayenne
le 25 janvier 2002.
Dépôt légal : janvier 2002.
Numéro d'imprimeur : 53414.

ISBN 2-07-049977-4 / Imprimé en France.

98371